はじめての副業

Webライターで
頑張らなくても
安定収入を
手にするための
教科書

利倉夏実 著

染谷昌利 監修

秀和システム

本書について

本書は「頑張ってるのに稼げない現役Webライターが毎月20万円以上稼げるようになるための強化書」(2017年8月発売) の改訂版です。

この本は、基本的に「副業でWebライターをすることに興味がある方・副業Webライターを始めたばかりの方」に読んでもらうことを想定していますが、本業としてのWebライターの仕事を検討している方にも役立つ情報がたくさんあるので、良かったら読んでみてください

はじめに

●副業で自分に合った働き方を見つける

　はじめまして。あなたは今、副業をしてみようかと考えていますか？それなら、この本がお役に立てるかもしれません。

　副業人口は増加しているそうで、本業の収入が少ないor安定しない人が多いことを思えば悲しい気持ちになります。一方で、副業で収入を上乗せするという選択肢があり、それを選ぶ人が増えてきたのは喜ばしいことです。

　副業で収入を増やして経済的に安定すれば、精神的にもゆとりが出るでしょう。副業がうまくいき、本業を辞めて独立する人もいるでしょう。複数の副業を掛け持ちして収入源を分散する「複業」が性に合う人もいるでしょう。副業を通じて、自分に合った仕事や働き方を見つけられれば、収入が増える以上の価値があると思います。

　インターネットの普及により、副業で選べる仕事の種類も昔と比べて爆発的に増えています。Webライターという仕事も、そのひとつです。そしてわたし自身、副業としてWebライターを始めました。

●会社がピンチ！から副業Webライターへ

少し、わたしの話をさせてください。

2012年9月、わたしが働いている会社は倒産寸前でした。お給料は約10万円ダウンし、このままではヤバイ！転職しないと生きていけない……！

そんなとき、たまたま見つけたのがWebライターの仕事でした。

はじめのうちは、アンケートのような簡単なライティングをおこない、報酬も「アンケートの謝礼」程度の金額でした。それでも、子どもが寝静まったあとの時間を使って1日1,000円稼げることが、素晴らしいと思いました。1日1,000円稼げたら、単純計算で1か月3万円の収入になるのですから。

昼間はこれまで通り働き、夜はWebライティングの副業。1か月目は34,404円、2か月目は61,629円の副収入になりました。一方、会社はどんどん状況が悪化するばかり。「退職して、Webライターの仕事で食いつなぎながら求職活動をしよう」と思い至り、退職しました。

Webライターの仕事に慣れてくると、徐々に仕事が舞い込んでくるようになり、求職活動もままならない日々が続きました。目の前の仕事に夢中で取り組んでいるうちに、Webライターの仕事で月収20万円を超え、30万円を超え、「つなぎ」のつもりがいつのまにか「本業」になってしまいました。

●Webライターは、家でできる副業

わたしがWebライターという仕事を副業に選んだのは、「特別な道具やスキルがいらない」なおかつ「家でできる」からでした。

スキルについては、実際には文章力やビジネスマナーは必要になるわけですが、文章を書くのが得意でこれまで社会人として働いてきた人であれば、Webライターに必要なスキルはおおむねお持ちでしょう。

そして、家でできるというのは、育児や介護などで働き方に制約がある人にとっては大きな魅力です。人混みが苦手だとか、電車に乗るのが苦手、といった人にとってもそうでしょう。

ライターというと、取材であちこち飛び回るフリーライターのイメージがありますが、実際には自宅で完結する仕事も多くあります。

最近はZoomなどを使ったオンラインでの取材も普及していますし、人への取材ではなく書籍や論文をあたってデータを調べてまとめる、といった類いの仕事も、自宅で完結します。

●Webライターの「仕事術」を一冊に

わたしは、副業でWebライターの仕事を始めました。そんなわたしが2017年に著したのが、この本の前身である「頑張ってるのに稼げない現役Webライターが毎月20万円以上稼げるようになるための強化書（通称Webライター本）」です。この本は、よくある文章術の本ではありませんでした。

Webライター本は「Webライターがちゃんと稼ぐために知っておくべきことを詰め込んだ本」で、たとえばクライアントへの

質問の仕方だとか、次の依頼につながるちょっとした一言の文例だとか、即実践できるような知識やテクニックに特化したのです。なお文章術の本は、ほかに良書がたくさんありますから、そちらを参考にして勉強してください。

ちなみに、今回の改訂版の書名には「頑張らない」とありますが、これは「何の努力もしなくていい」ということではありません。残念ながら、何の努力もしないで稼げる方法はないのです。ですが、稼げるライターの仕事術を身に付けることで、「がむしゃらに頑張らなくても、仕事が切れない・いい仕事が回ってくる」ライターになることができます。ですから、この本でご紹介している仕事術を身に付けるまでは、稼ぐ土台を作っていると思って頑張ってみてもらえると嬉しいです。

本書はWebライター本の改訂版という位置づけになりますが、大幅なリニューアルをおこないました。前著の発売から4年近く経っており、その間に世の中は大きく変わりました。特に、副業人口の増加やテレワークの普及は大きな変化です。時代の変化に合わせて、本の構成や内容も大幅に見直すことにしたのです。

しかし、仕事の本質はそう簡単には変わりません。本質的な内容としては前著とほとんど同じですから、前著を読んでくださった方は、あえて買わなくても大丈夫です（でも買っていただけたらとってもうれしいです♡）。

未経験からWebライターの仕事を始めると、わからないこともたくさんあると思います。そんなとき、この本がお役に立てるはずです。ぜひ、Webライターの「仕事術」を、手に入れてください。

CONTENTS

第6章 お仕事の疑問にお答えします！ …………… 243

第 1 章

副業Webライター
はじめの一歩

副業でWebライターをするなら、仕事はどのように探すのか？副業Webライターが使う「クラウドソーシング」とは何なのか？など、知っておきたい基礎知識がいろいろあります。実践的な内容に入る前に、副業Webライターの基本情報や心構えについて、紹介します。

1-1 今だからこそ副業Webライターにチャレンジしよう

　これからの時代、たったひとつの収入源で生活していくのは大きなリスクです。

　会社員は安定しているという考えを持っている人は多いですが、会社からの収入源しかない状態は実は不安定です。現在のコロナ禍はもちろん、10年以上前に起きたリーマンショックも記憶に新しいところですが、仕事が急に無くなってしまう可能性はいつの時代にもあります。いかに複数の収入窓口を作っておくか、いつでも収入を得られる準備をしておくことは、これから何が起きるか分からない時代で重要な行動になります。

　幸いにも国や大手企業は副業を容認する方向に舵を切っています。

　2017年後半から大手企業が副業解禁の動きが活発になりました。この流れは政府の推奨する「働き方改革」の一環で、特に2018年1月に厚生労働省が発表した「副業・兼業の促進に関するガイドライン*1」が大きな影響を与えていると考えられます。

＊1　副業・兼業（厚生労働省）
https://www.mhlw.go.jp/stf/seisakunitsuite/bunya/0000192188.html

特に影響の大きい変化として挙げられることが「モデル就業規則」の変更です。常時10人以上の従業員を使用する使用者は、労働基準法第89条の規定により、就業規則を作成し、所轄の労働基準監督署長に届け出なければなりません。

このモデル就業規則から「許可なく他の会社等の業務に従事しないこと」という旧規定が削除され、新たに14章「副業・兼業」という章が設けられました。簡単に言うと、モデル就業規則の内容が「原則副業禁止」だったものが「原則副業自由」になったということです。あくまでもこの条文はモデル就業規則ですので強制力はありませんが、国主導によるガイドラインの改定は多くの企業に「副業禁止規定」の再検討をさせるきっかけになっています。

本業に従事しながら、空いた時間で副業に取り組むことは、慣れないうちはとても大変です。お金を稼ぎたいからという理由だけで副業を始めても、体力的にも精神的にも疲弊してしまいます。だからこそ自分の好きなこと・得意なことで、楽しみながら学びながらスキルアップや人脈構築ができる副業を選ぶことをお薦めします。

本業だけの生活に1つの副業を挿し込むことで、あなたの世界は大きく広がっていきます。効率的に時間を活用する能力も向上していることでしょう。副業が2つ3つとなれば、さらに多くの体

験や学びを得ることができます。

　本書では本業と並行して、クラウドソーシングサービスを活用したWebライター業で、お金を稼ぎつつスキルアップを図る方法を解説しています。副収入の入り口を作り出し、その収益で投資活動やシェアリング・エコノミー型副業など、お金でお金を稼ぐシステムを構築する。あるいはインターネット副業でさまざまなスキルを身に付け、人脈構築を図り、複数の会社に勤務したり、副業を掛け合わせたりする「複業」への移行も可能になります。

　1-2以降でクラウドソーシングサービスの詳細や活用法を解説しますが、自分の得意分野で、好きな時間、好きな場所で、希望の報酬を受け取ることができる仕事が得られるということは、自由になる時間が限られている会社員にとって効率的に副業に取り組めるサービスです。

　ぜひ本書を片手に、副業Webライターの道を一緒に歩んでいきましょう。

1-2 クラウドソーシングサービスの選び方

●「クラウドソーシング」とは仕事のマッチングができる仕組みのこと

Webライターの仕事を探す方法ですが、初心者の方が副業するとしたら、まずは「クラウドソーシング」をオススメします。

クラウドソーシングとは、ごくごく簡単に言うと「ネット上で仕事のマッチングと仕事のやり取り、報酬の受け取りまでできる仕組み」です。一般的な「求人サイト」と違い、アルバイトや正社員ではなく「業務委託」を前提としていることも特徴です。

ライティング（ライターの仕事）はもちろんのこと、Webサイト制作やデザイン、事務作業などさまざまな仕事が募集されています。最近だとYouTubeなどの動画編集の仕事も人気があります。

●副業Webライターにクラウドソーシングを勧める理由

プロのライターであれば、自分が書きたいメディアに問い合わせて（営業をかけて）仕事を受けるという方法もあるのですが、経験が浅く実績も少ないうちは採用される可能性は低いです。初めてWebライターの仕事をする、しかも副業で、という方は、よ

15

りハードルの低い「クラウドソーシングを使った仕事探し」のほうが良いでしょう。クラウドソーシングサービスはサポート体制が充実しているため、利用しない手はありません。

　クラウドソーシングには、初心者でもできる仕事が豊富にあります。初心者向けの仕事は、その分報酬が低い傾向がありますが、まずは経験と実績を積むというつもりで始めてみてください。実績を積めば少しずつ報酬の高い仕事もできるようになります。実績を積むためのステップについては、このあと本書で詳しく紹介していきますので、参考にしてください。

　副業でWebライターをしたい方にクラウドソーシングを勧める理由をまとめると、以下の通りです。

・マッチングだけでなく報酬の受け取りまでできる（報酬の未払いが発生しない）
・初心者でもできる仕事がある
・評価制度があるため自分の評価・実績が可視化され、続けるほどに良い仕事をもらいやすくなる
・仕事のトラブルが起こっても運営会社のサポートが受けられる

　詳しくは、6-2「クラウドソーシングに手数料を払ってでも使うメリットは？」でも解説しています。

●クラウドソーシングサービスの紹介と選び方

　さて、クラウドソーシングの会社はたくさんあるのですが、Webライターの仕事を探すのであれば、定番はこのあたりになるでしょう。

・Lancers（ランサーズ）

・Crowd Works（クラウドワークス）

・Craudia（クラウディア）

・サグーワークス（サグーライティング）

・Shinobiライティング

	ランサーズ	クラウドワークス	クラウディア	サグーワークス	Shinobiライティング
ユーザー数	非公開	300万人	100万人以上	28万人	50万人
システム利用料（※）	5～20%	5～20%	3～15%	なし	なし
サービス開始時期	2008年	2012年	2012年	2013年	2011年
特徴	総合型。国内最大級。サポート体制の充実度ではナンバーワン。	総合型。国内最大級。案件の多さではナンバーワン。	総合型。システム利用料が安い。	ライティング特化型。プラチナライターの試験に合格すれば高単価案件が受けられるようになる。	Webライティング特化型。初心者にもとっつきやすいがコンペ形式のため書いても報酬にならないこともある。

※システム利用料はクライアント（依頼主）側が負担

　「ランサーズ」と「クラウドワークス」が大手と言われており、基本的にはこの2つに登録しておけば、ある程度仕事が見つかる

はずです。

　ほかにも複数登録はしておくと、中には掘り出し物と言えるような割の良いお仕事が見つかることもありますし、時間にゆとりがあるときなどにチェックしてみるのがオススメです。

　一方で、あまり多くのサービスに登録しても管理が大変です。メインで使うサービスはひとつにしておいて、サブとしてもうひとつ。あとは自分のキャパシティに合わせて追加していく、というスタイルが良いでしょう。

　わたし自身の話をすると、わたしもはじめは5つ程度のクラウドソーシングサービスに登録しました。ただ、実際に使っていたのはほとんどひとつだけ。はじめの2か月は副業で利用していたのですが、大手サービスひとつで十分すぎるほどお仕事がいただけたので、ほかのサービスを使う機会がありませんでした。

　仕事が足りないとき以外は、極力使うサービスは絞るほうが、評価や実績が分散せず、早く実績が貯まり高単価の仕事にステップアップしやすいと感じています。

|ワンポイント

　登録時の注意：
いずれのサービスも、登録方法は簡単です。もちろん無料で登録でき、お金を請求されることは絶対にありません。
氏名や生年月日の項目もありますが、非公開なので正直に入力してください。報酬の受け取り時には銀行口座を登録することになりますが、名前が違うと本人確認ができません。

1-3 魅力的なプロフィールの作り方

●メリットを感じてもらえるPRとは？

　プロフィール文やクラウドソーシングでの提案文などは、自分をPRするためのものです。でも日本人は自己PRが苦手。「ちゃんとPRしなきゃ！」という意識はあっても、うまくPRできていない人も多いです。

　自己PRとは、自分のことをアピールすることではありますが、その目的は仕事を受注することですよね。つまり、クライアントに「この人に依頼すると自分にとってメリットがありそうだから頼んでみよう」と思ってもらう必要がある、ということ。

　自己PRは自分が言いたいことを言うものではなく、「読んでくれる人が知りたい情報」をアピールするものだと覚えておきましょう。

●自分の都合ばかり書くのはダメ

　あなたのプロフィール文や提案文、自分の都合ばかりが記載されていないでしょうか？

・文字単価は○円以上でお願いします

・稼働時間は平日10時〜17時です

・依頼いただける場合は○日までにご連絡ください

　いずれも間違いではありません。自分の都合を知らせることも必要です。ただし、こうした「自分の都合」を知らせる内容に終始している自己PRを見ても、相手はあなたに依頼したくなりませんよね。

　相手が知りたいのは、「その人が自分にどのような価値を提供してくれるか」です。それを意識すれば、書く内容もおのずと変わってくるはずです。

●自己PRで価値を「イメージ」してもらう

　仕事につながる自己PRとは、相手に「この人に仕事を頼みたい」と思ってもらえるものです。具体的に見ていきましょう。

　あなたが「海外旅行の旅系メディアで書きたい！」と思っているとしたら、どのような自己PRをするでしょうか。

例

NG
「旅ライターになって旅行関係の記事を書きたいと思っています！旅行経験は多いほうだと思うので、自信があります。たくさんの旅行記事を書いて読者に届けたいです！」

GOOD
「これまでに15か国への海外旅行経験があり、海外旅行に関しては詳しいほうです。特に、旅費の節約にはこだわっています。また、海外で入院経験もあるため旅行保険についての体験談も書けます。英会話については英語で問題なくコミュニケーションできるレベルです。」

　「旅ライターになりたい！」という思いをストレートに表現している上の文も好感は持てますが、「仕事をもらう＝発注者の目にとまる」のは断然下の文です。

　「旅行関係」だけではまず海外か国内かもわかりませんし、イメージがわきにくいですよね。ただ自分がやりたいことを言っているだけです。

　一方下の文は、海外旅行経験や特に得意な分野について言及しています。これなら、たとえばこんな仕事があれば頼んでみたくなりますね。

・海外旅行の体験談

・旅費の節約方法

・海外旅行保険の選び方

・海外旅行保険の使い方や注意点

・英会話の勉強法（初級者向け）

　さらに、海外経験が豊富で英語も多少話せるということであれ
ば、海外取材の案件も打診が来るかもしれません。

　「こんなことがしたい！」ではなく「こんなことができますよ」
ということがイメージできるような自己PRをすべき、というこ
とですね。

●「できること」を伝えるだけでもダメ

　前述の通り、自己PRでは「やる気」や「やりたいこと」だけで
はなく、「できること」を伝えなければいけません。そして大事な
のは「イメージできるかどうか」です。たとえば下記のような書
き方では、たとえ「できること」が書いてあってもイメージしづ
らい自己PRになります。

例

イマイチな書き方
「こんな記事が書けます」
・海外旅行体験記
・海外旅行での旅費の節約について
・海外旅行保険の選び方や使い方
・旅行英会話の勉強法

　「旅行関係の記事が書きたい！」とアピールするだけよりは「マシ」ですが、ただ「できること」を並べても不十分。これだけだと、クライアントからすると「イメージができない」のです。

　その人にどれぐらい海外旅行経験があるのか、どんなことに興味を持っているのか、といったことがわからなければ、「レベル感」がわかりません。

　15か国以上行ったことがあるとか、旅費の節約についてこだわっているとか、そういった情報が何もなくただ「こんなことができる」と書かれていても、やはり「依頼してみたい」とはなりにくいのです。

　言いたいことを言っているだけではダメ、できることだけを言っているのもダメ。大切なのは、「この人にこんな記事をお願いしたい」とイメージしてもらえるような情報を盛り込むことなのです。

> クラウドソーシング内でほかのライターさんのプロフィールページをチェックするのもオススメ。上手なPR文を見つけたら、参考にさせてもらうと良いでしょう。
> ※パクリはダメですよ！

1-4 「副業だから、詳しいプロフィールは書きたくない、でも仕事が欲しい」場合は？

●「身バレ」が怖い場合はぼかして書くしかない

副業としてライター活動をしていることを周囲に内緒にしておきたい場合は、プロフィールに何をどこまで書いていいのか迷ってしまいますよね。

副業ライターさんの中には「身バレ」を恐れてプロフィールをほぼ空欄にしてしまっている人もいるのですが、それではダメです！「副業はバレたくないけど仕事はほしい」と思うのなら、それこそプロフィールはしっかり作るべき。

ただ、ありのまま書くのが難しい場合は、内容を少しぼかして書くのが現実的な対処法です。職業を具体的に書くのが難しいなら「法律関係」「美容関係」などざっくりと業種で書く。もしくは「本業の仕事柄、最新のコスメには詳しいです」といった書き方をすれば、本業をぼかしつつ得意分野のアピールができます。

バレたくないからとプロフィールに何も書かないのはもったいないので、書ける範囲でしっかり埋めておきましょう。

また、公開プロフィールではぼかしておき、プロジェクト提案時には必要に応じて具体的なプロフィールを書くという方法もあります。たとえばプロフィールでは「美容関係」と書いていても、

提案文では「本業は○○というメーカーの○○部門にて〜〜な仕事をしているため、△△という化粧品についてはよく知っています」と書くことで説得力が出ますよね。

提案文は提案者本人とクライアントにしか見えません

●「片手間でやっている」と思われないように注意

副業でライター活動をする場合はメッセージに対応できる時間なども限られるため、副業として活動している旨をプロフィール等に記載することが多いかと思います。

それは必要なことですが、「副業」や「兼業」という言葉に対してネガティブなイメージを持っている人もいます。「片手間でやっている」とか「小遣い稼ぎのためだけにやっている」といったイメージで、「だから本業のライターのほうがいいだろう」と思われてしまうわけですね。

それではもったいないので、書き方を工夫しましょう。ポイントは「副業としてライター活動をしている理由」を書くことです。

> 例
>
> 長男の小学校入学を控えており、入学後はフルタイムでの仕事ができなくなるため、○年○月からライター活動を始め今年度中にはライター業1本に絞る予定です

いずれはライター業を本業にしたいと考えているなら、このような書き方をするといいですね。事情がわかれば安心感がありますし、「応援したい」と思ってくれるクライアントも現れるかもしれません。

> **例**
>
> 本業では〜〜といった仕事をしており、この知識を本業以外にも生かしたいという思いから副業としてライター活動をしています。本業は残業が少なく、ライター業に充てられる時間も安定しておりますので、納期の遅れなどはこれまで一度もございません

本音としては「副収入がほしいから」だとしても、「本業で得た知識が生かせる」といったメリットがあるのであれば、そこをアピールするのがいいでしょう。また、副業の場合は「本業が忙しくなって連絡が取れなくなったりしないか?」という懸念もあるので、そこをクリアできるような文言を入れておくと安心して依頼してもらえます。

●本名・顔出しは必須ではない

わたしが「本名」「顔出し」で活動しているせいか、「本名のほうがいいですか?」「顔写真を掲載すべきですか?」という質問をよく受けます。しかし、どちらも必須ではありません。

いずれも「なんとなく信頼されやすい」というだけなので、本名や顔の写真を出すことで不利益がある人は無理してはいけませ

ん。ただ「なんとなく信頼される」効果もバカにならないので、基本的にオススメではあります。

本業・副業に限らずペンネームは本名っぽい名前のほうが使い勝手がいいですし、名前をメディアごとに変えても問題ありません。

顔写真が難しい場合は、横顔や後ろ姿などでもいいので「人の気配」がする画像を使うのがオススメです。クラウドソーシングのプロフィール画像が設定されていないというのは論外ですが、無難な風景写真などではなく、似顔絵などでもいいので「人の気配」がする画像を使いましょう。

活躍しているライターさんでも顔や本名を公開していな人はたくさんいます。しかし現状仕事が少なく、もっと仕事を増やしたいのであれば、無理のない範囲で公開するほうが仕事の幅が広がります。実際、わたし自身ほとんどのクライアントから「なつみさんは顔がわかるから安心して依頼できた」と言われています。

1-5 案件の探し方。初心者向けの案件と、経験豊富なプロ向けの案件の違い

●クラウドソーシングにはさまざまなレベルの仕事が掲載されている

クラウドソーシングサービスでは、初心者向けから玄人向けまでさまざまなお仕事が掲載されています。そのため、右も左もわからないうちは、仕事を選ぶだけでも非常に時間がかかってしまいます。

よくわからないまま玄人向けの案件に応募してしまい、うっかり受注できたはいいけれどクライアントの求めるレベルの原稿が書けず、悪い評価をもらってしまう……なんて失敗は絶対に避けたいもの。

副業では限られた時間を有効に使うことも重要ですから、効率よく自分に合った仕事を探したいですよね。初心者向け案件の特徴や見分けるポイントを知って、仕事探しをスムーズにおこないましょう。

●初心者向け案件の特徴

初心者向けの案件とは、「簡単」かつ「単価が安い」のが特徴です。単価が安いと聞くとがっかりするかもしれませんが、どんな

仕事でも、難しい仕事ほど報酬が高額になりやすいものですから多少は仕方ありません。

　中には初心者向けなのに高単価を謳っている仕事もあるかもしれませんが、作業量が多くて実質は低単価だったり、もしくは詐欺など犯罪に関わる仕事であったりする可能性もあるので、くれぐれも注意してください。

　初心者向けの案件は単価が安いものですが、簡単な分、慣れれば数をこなして収入を増やすこともできますし、力がついてきたら徐々に高単価の案件にも挑戦できます。

　わたし自身は、文字単価換算で0.1円や0.2円といった案件から始めました。たとえば500文字以上と指示された案件であれば報酬は50円や100円……！

　副業だったので生活がかかっているわけではありませんでしたし、アンケートに答えるような感覚でちまちまとお小遣い稼ぎをしていました。「仕事」とはとても言えないような低収入であっても、文章を書く練習にはなりましたし、上手に書ければクライアントの目にとまり、プロ向け案件の依頼がくるようにもなりました。

　時給換算すると200円や300円といった悲しい金額にしかならず、「そんな安すぎる仕事は搾取されているだけだから受けないほうが良い」と言う人もいます。わたしも、いつまでもそのような低単価の仕事を続けるのは良くないと思います。ただ、まった

くのライター初心者が、副業でライターの世界に飛び込むのだと
したら、はじめのうちは超低単価の仕事で慣らしていくのは悪く
ないのではないか、とも思います。

　一方、プロ向けの案件は、「難しい」です。報酬単価については、
実は高いとは限りません。プロ向けの難しい案件でも、予算がな
かったり相場を知らなかったりといったクライアントだと報酬が
安いことはあります（それこそ「搾取」のような案件もあるのが
現状です）。

●初心者向けの案件を見分けるポイント

　初心者向けの案件を見分ける際には、報酬金額ではなく、難易
度に注目しましょう。

　仕事の難易度を判断する基準は、「依頼内容」です。クラウド
ソーシングサービスでは、案件の詳細ページを開くと、必ず依頼
内容（仕事内容の説明文）が掲載されています。

　依頼内容を読んだとき、専門用語が多かったり文章が難しかっ
たりして理解しづらいと感じたら、それは「今のあなた」にとっ
てはまだ難しい案件です。逆に、スムーズに理解できるようであ
れば「今のあなた」でも十分対応できるレベルのお仕事。自信を
もって、応募してみてください。

　ちなみに、内容が理解しづらい説明文の案件は、「避けるべきク

ライアント」である可能性もあります。説明下手・コミュニケーションをとる姿勢が無いなど、一緒に仕事をする上で問題のあるクライアントかもしれない、ということです。その場合も、関わらないほうが良いので、応募する必要はありません。悪質なクライアントについては4-6「悪質なクライアントを見分ける方法」でも触れているので参考にしてください。

初心者向けの案件を探す際にはとにかく、依頼内容をしっかり読んで、今の自分に理解できる内容かを確認しましょう。

●そもそもクラウドソーシングには初心者向けの案件が多い

クラウドソーシングサービスにはさまざまな案件が掲載されていますが、実は、初心者向けの案件がかなり多いです。

経験豊富なプロ向けの案件は、「すでに取り引きのある馴染みのプロライターに依頼される」「非公開案件として実績豊富なユーザーにしか公開されていない」などの理由で、一般には流通していないのです。

たとえば大手クラウドソーシングサービスの「ランサーズ」では、「Lancers Pro（ランサーズプロ）」というサービスを展開しており、高単価な非公開案件を取り扱っています。こちらは、実績のあるユーザーしか登録できない仕組みです。

もちろん一般的なクラウドソーシングサービスでもプロ向けかつ高単価な案件が流通することはありますが、数は多くありません。

Webライターを始めたばかりだと、「経験豊富なプロのライターもいる中で仕事をゲットするのは大変そうだ」と尻込みしがちですが、実際には、経験豊富なプロのライターであればお得意さんや非公開案件のスカウトだけで仕事が回っています。そのため一般的な案件で競合する機会はそう多くありませんし、安心して、堂々と自分に合った仕事を探してほしいと思います。

ライターとしての基礎知識やルールを学ぶには記者ハンドブックを読んでおくことをオススメします。

https://www.amazon.co.jp/dp/4764106876/

挑戦するのはタダ！ですから、やってみたい案件にはどんどん応募してみましょう。熱意が伝わると、初心者でもやる気を買ってもらえて採用になることもありますよ。

好きな仕事で収入を得たいならまずは「できること」から

●好きなことにこだわって仕事を選ぶと成長できない

「わたしは旅ライターになりたい！」のように、好きなことを仕事にしたいという思いを持っている方も多いと思います。しかしその思いが強すぎるせいで、伸び悩んでいる人が多いのも事実です。特定のジャンルにこだわるあまり、ほかの仕事を受けようとせず、その結果ライターとして成長するチャンスを逃しています。

旅ライターになりたいと思っていても、実績の無いライターに好きなように書かせてくれるメディアはありません。あったとしてもそれは「体験談系」の、単価の低い仕事です。本業の旅ライターになりたいと思っているのに仕事がとれず、数少ない仕事だけでは生計が立てられず、アルバイトなどで生計を立てている人もいます。

好きなことを仕事にできるのというのは理想的ですが、現実には実績やスキルがなければ難しいのです。

でも、諦めることはありません。好きなことを仕事にする方法はあるのです。

●「このジャンルの記事を依頼したい」と思われるには

好きなジャンルの仕事を依頼してもらうには、「依頼したい」と

思われるライターにならなければなりません。

　たとえば、スポーツライターになりたいならスポーツに関する知見が豊富であるのはもちろん、ライティング技術も一定以上は必要ですし、締め切りを守るなどのマナーも必要ですね。そして、「依頼したい」と思ってもらえるレベルの実績も必要でしょう。

　つまり、まずは「依頼したいと思ってもらえるレベルのさまざまな能力」を身につけなければならないのです。ただ「スポーツに詳しいです」とか「旅行が大好きです」というだけではダメなんですね。

●好きなことを仕事にするには段階を踏むべき

　「わたし、○○ライターになりたいんです！」とはじめからやりたいジャンルが決まっているライターさんに意識してもらいたいことがあります。それが、以下の3段階です。

❶できること
❷得意なこと
❸好きなこと

◉❶実力をつけるために、まずは「できること」をしよう

　「○○ライター」になる以前に、まずはライターとして最低限必要なスキルを身につけておかなければなりません。スキルが十分についていない段階から仕事を選びすぎると知識と経験を積む機会

が限られるため、成長スピードも遅くなり、場合によっては一向にスキルがつかない可能性すらあります。この段階では好きなことにこだわるのではなく、自分にできそうな仕事はどんどんやっていくべきです。その中でライティングスキルが磨かれたり、さまざまな人脈が広がったりしていきます。

◉❷「得意な仕事」が自分を成長させる

　「できる仕事」をどんどんやっていくと、その中で「得意なもの」と「そうでもないもの」が見えてきます。得意な仕事だけで生計が立つ段階になったら、一度収入を減らしてでも「得意なこと」だけに絞るのがオススメです。経験上、得意な仕事のほうがクライアントからの評価も高くなりますし、読者の反応も良くなります。得意な仕事だけに絞ったほうが、自分もやりやすいためスキルが伸びやすく、単価も上がりやすいですよ。

◉❸「好きな仕事」だけで生きていく

　得意な仕事だけでも十分な収入・仕事量になってきたら、いよいよ「好きなこと」だけに絞っていくフェーズです。この段階に到達するころには、ライティングスキルや人脈などが得られています。好きな仕事を紹介してもらえたり、好きなメディアに問い合わせたら好感触の返事をもらえるようになっているでしょう。

●段階さえ踏めば好きなことを仕事にできる

　好きなことを仕事にできるほど世の中甘くない、と言う人もいますが、わたしはそう思いません。正しい段階を踏めば、好きなことを仕事にできます。

　うまくいかない人の多くは、はじめから「好きなことしか見ていない」から、思うように稼げなくて諦めていくのではないでしょうか。

　ちなみにわたしの場合は、もともと特に好きなことはありませんでした。ただ、できる仕事に取り組んでいくうちにたくさんの仕事に恵まれるようになったため、「得意なことを優先してそれ以外は断ろう」と判断しました。しばらくすると得意なことだけでも受けきれないほどの依頼がくるようになったため、そこからは「自分が好きな仕事だけを受ける」というスタイルに落ち着きました。

　そんなわたしから見て「好きなこと」がある人はキラキラとまぶしいのに、そういう人が好きなことを仕事にできない状況はもどかしく思います。だからこそ、まずはできることから始め、段階を踏んで、好きなことを仕事にできる力を身につけてほしいと願っています。

第 2 章

稼げる副業
Webライターに
なるための
3つのSTEP

Webライターとして稼ぐには、「3つの力」が必要です。3つの力について知り、ひとつずつ身につけて行けば、充実した副業生活が送れるでしょう。ではその3つの力とは何なのか？この章で紹介します。

2-1 稼げるライターに必要なのは「商品力」「仕事を選ぶ力」「選ばれる力」

● Webライターに必要な3つの力

ライターという仕事は、文章さえ書ければ誰にでもできる、というわけではありません。文章力だけでなく、クライアントからの依頼内容を的確に理解する力や、締め切りを守るなど社会人としてのマナーも必要です。

ほかにもさまざまな知識やスキルが必要なのですが、本書ではそれを、大きく3つに分けて、紹介したいと思います。その3つの力とは、以下の通りです。

①商品力
②仕事を選ぶ力
③選ばれる力

● ①商品力：ライターにとっての「商品」とは

ライターにとっての「商品」とは、原稿のことですよね。原稿を書いて売るのがライターの仕事です。その原稿が魅力的でなければ売れません。Webライターとして稼ぐためには、まずはこの商品力（原稿の質）を高める必要があります。

「原稿の質」というと文章力の話ばかりになりがちですが、文章力とは正しい文法だとか誤字脱字が無いだとか、そういったことだけではありません。メディアごとの読者層に合わせた文章の書き分けや、読みやすい構成、クライアントの希望（売上アップ等）が実現するような切り口。こういった要素も、原稿の質に大きく関係しています。

その他、Webサイトでは紙のメディア（新聞や雑誌）とはまた違ったルールもあります。

●②仕事を選ぶ力：ライターにとっての「良い仕事」とは

どれだけ文章力が高く高品質な原稿が作れるライターでも、仕事を選ぶ力が備わっていないと苦労します。割に合わない仕事を選んで消耗したり、モラルに欠ける担当者に振り回されて搾取されてしまうようなケースすら起こります。

●③選ばれる力：選ばれるライターになるには

どれだけ原稿の質が高く、仕事を見分ける力があっても、自分自身に「選ばれる力」が無いと、仕事の依頼はされません。

「選ばれる力」とは、ビジネスマナーがあるとか締め切りを守る、といった常識があるか、クライアントが安心して依頼できるようなコミュニケーションがとれているか、といったことです。

●今のあなたが身につけるべき「力」を探ろう

　副業Webライターには、これらの3つの力が不可欠です。次ページからはそれぞれの力についてもう少し掘り下げます。

　副業Webライターをする上で、どんな力を身につければ良いのか、何を意識して取り組むと充実した副業生活が送れるのか、一緒に考えてみましょう。

> ライターというと書く力ばかりが注目されがちですが、実は書く以外の力で、大きな差がついてしまいます。

2-2 商品力：ライターにとっての商品である「原稿」の質を上げよう

●原稿作成は「書く」だけじゃない

ライターとは記事の原稿を書く人ですが、単に「文章を書く」だけが仕事なのではありません。

①記事の存在意義・掲載する目的を考える

②記事の方向性や切り口を考える

③構成を考える

④情報収集をする（取材も含む）

⑤文章を書く

原稿作成には、少なくともこれだけの要素があります。仕事内容によっては、「写真撮影をする」「完成した記事を宣伝する」などの要素も入ってくるかもしれません。

いわゆる「文章力」に関する書籍では、③構成を考える・④情報収集をする・⑤文章を書くといった要素について書かれているのが一般的です。

一方、本書で取り上げるのはそれ以外の①と②がメインです。①記事の存在意義や掲載する目的、②方向性、切り口を考えるこ

とについて、多くのページを割いて解説していきますが、その概要について、以下から簡単に紹介しておきます。

●その記事は何のために存在するのか？

たとえば、あなたがライターとして仕事を依頼されたとして、その記事が何のために使われるのか、考えてみる必要があります。

モノを売るための記事でしょうか？

Webサイトのアクセス数（PV）を増やしたいのでしょうか？

どんな人に読んでほしいのでしょうか（読者層は？）

その記事が何に使われるのか、何のために依頼されているのかを考えるのは「クライアントの意図を読む」ということにつながります。

わたしは講師として、Webライターさんの原稿を1,000件以上添削してきましたが、クライアントの意図を汲めていない人がけっこう多いのです。真面目に書いているのに仕事がとれない・リピート依頼につながらないといった人は、たいていこの罠にはまっています。

●クライアントの意図を読めないと良い商品（原稿）は作れない

依頼される原稿には、必ず何らかの目的があります。

たとえばダイエット食品を売るのが目的のお記事なのに、そのダイエット食品について否定的な文章を書いてしまう・競合他社の

商品を紹介してしまう、といったことがあってはいけませんよね。

　残念ながら、クライアントは先生ではありませんから、間違っていても叱ってくれることはほとんどありません。

　「ああ、このライターはイマイチだから次からは別の人に頼もう」と、黙って切ってしまうことのほうが多いのです。それなら叱られるほうがまだマシではないでしょうか……。

　クライアントから特に反応がないまま終わってしまった取り引きというのは、クライアントが求める原稿になっていなかったから切り捨てられた、という可能性が非常に高いです。そういった悲劇は極力避けたいものですね。

●高品質な原稿を作るにはさまざまなスキルが必要

　Webライターにはほかにも、情報リテラシーやSEOの基礎知識なども必要です。SEOとは、Webで検索されるときに自分が作った記事が上位に表示され多くの人に見てもらえるようにおこなう施策のこと。Webライターをする以上は必ず知っておくべきだと思います。

　さらに、仕事として文章を書く以上はある程度のスピードも必要ですし、コンスタントに一定のクオリティで書き続ける体力（筆力）も必要です。

　3章「商品力を磨こう」では、高品質な商品（原稿）を作り上げるために必要な知識や心がけ、コツなどを紹介していきます。

2-3 仕事を選ぶ力：自分に合ったクライアントや読者を見つけよう

●案件選びで失敗している人が多すぎる

　クラウドソーシングの登場により、未経験でもスキル不足でも「ライター」を名乗れるようになりました。簡単な仕事から挑戦し、働きながらスキルを身につけられるのです。

　クラウドソーシングのプラットフォーム上には、星の数ほど仕事が登録されています。でも、その中から自分が受けるべき仕事を選ぶのは、経験が浅い人にとっては至難の業。

　クラウドソーシングでの仕事の選び方にはコツがあるので、それを知らないと仕事選びに失敗することがあるのです。

●報酬金額を重視する人ほど稼げない!?

　仕事である以上、報酬金額を気にするのは当然です。しかし、報酬金額だけを見ていると、失敗する確率が高くなります。

・まとまった金額が支払われるが、実は仕事量が膨大だった
・画像選定などの業務も込みの金額だった
・修正依頼が度を超えており消耗してしまった
・クライアントが不誠実で悪い評価をつけられてしまった

などなど……目先の報酬金額につられて失敗したという人の例は枚挙にいとまがありません。

すべて実話です！

◉あなたはどこを見る？

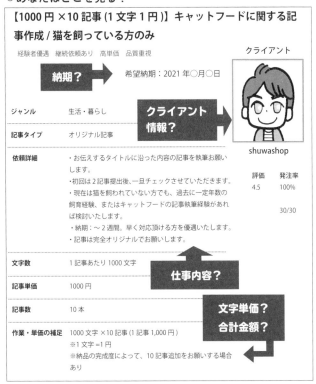

【1000円×10記事（1文字1円）】キャットフードに関する記事作成/猫を飼っている方のみ

経験者優遇　継続依頼あり　高単価　品質重視

クライアント

納期？　➡　希望納期：2021年○月○日

クライアント情報？

shuwashop

ジャンル	生活・暮らし
記事タイプ	オリジナル記事
依頼詳細	・お伝えするタイトルに沿った内容の記事を執筆お願いします。 ・初回は2記事提出後、一旦チェックさせていただきます。 ・現在は猫を飼われていない方でも、過去に一定年数の飼育経験、またはキャットフードの記事執筆経験があれば検討いたします。 ・納期：〜2週間。早く対応頂ける方を優遇いたします。 ・記事は完全オリジナルでお願いします。
文字数	1記事あたり1000文字
記事単価	1000円
記事数	10本
作業・単価の補足	1000文字×10記事（1記事1,000円） ※1文字=1円 ※納品の完成度によって、10記事追加をお願いする場合あり

評価　発注率
4.5　100%

30/30

仕事内容？

文字単価？
合計金額？

45

わたし自身は、クライアントの「信頼度」を最も重視しています。その理由は第4章で詳しく説明します。

●受けるべき案件の判断基準を知っておこう

思うように仕事が増えないという人は、仕事を選ぶときの判断基準が間違っている可能性があります。

「この発注者は大企業っぽいから良さそうだ」「文字単価が高いからぜひやりたい」。こんな、一見普通の判断が失敗につながることが珍しくありません。

相手が大企業であろうと、単価が高かろうと、避けるべき仕事はあるんです。

判断基準は、たいていの場合無意識に作ってしまっているものなので、間違っているかどうか気づきにくく、厄介です。依頼を受けたとき、いつもどんなふうに判断しているか、振り返ってみると問題を発見できるかもしれません。

●やりたい仕事を確実に受注する

せっかく良い仕事を見つけても、ほかのライターと比較された結果、受注できなければ仕事は増えません。

やりたい仕事を高確率で受注するためには、「受注できそうな案件に応募する」という工夫も必要ですし、また、応募する際の提案文も工夫したほうがいいですね。

2-4 選ばれる力：魅力のあるライターになり、それをきちんとアピールしよう

●依頼したくなる魅力的なライターとは？

　ライターとして収入を得るには、仕事を依頼したくなるようなライターでいなければいけません。では、仕事を依頼したくなるようなライターとは、どんなライターでしょうか？

　商品力（原稿の質）が高いのはもちろんのこと、

締め切りを守る、仕事が早い

感じの良いコミュニケーションがとれる（相談しやすい）

細かく指示しなくても意図を汲んで動いてくれる

ときには自分からコンテンツの提案もしてくれる

といったライターだと、依頼したくなるはずです。

　「感じの良いコミュニケーション」は、ちょっとしたコツ・ちょっとした一言だけでもずいぶんと印象が変わるものなので、実は取り入れやすいポイントです。

●魅力を伝えるためにはアピールすることも必要

　せっかくの魅力も、アピールしなければ伝わりません。今はクラウドソーシングで「ライターカテゴリ」に登録するだけでライターになれる時代。自分自身のことを適切にアピールしなければ、星の数ほどいるほかのライターに埋もれてしまいます。

　たとえばクラウドソーシング上のプロフィールページがほとんど空白の人。「どんな人なのかよくわからないな。怖いからやめておこう」と思われてしまっている可能性が高いです。

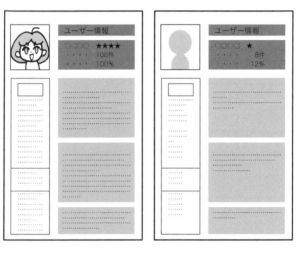

▲情報が少ないと、依頼して大丈夫か判断しづらい

　わたしも普段、飲食店などに行く際、公式サイトの情報が少ない場合は候補から外すことが多いです。「どんな料理があるのか

よくわからないな」「定休日が書いてないけど、行ってお休みだったら時間の無駄になるなぁ」。そう考えると、情報が少ないお店に行くのは躊躇してしまいますよね。

　クライアントからするとライターも同じで、「この人はどれぐらい実績があるんだろう？」「どんなジャンルが得意なんだろう？」といった疑問を解決できなければ、候補から外してしまうことが多いのです。

●選ばれるライターになると仕事探しから解放される

　仕事の依頼が途切れない人気ライターさんは、一度取り引きしたクライアントから何度もお声がかかるので、自分から営業をかけたり仕事を探したりすることがほとんどありません。リピーターで成り立っているわけですね。

　フリーランスの場合は時給制や固定給ではないので、仕事を探している時間は報酬が発生しません。原稿を書いて納品してクライアントにOKをもらわないと、お金にならないのです。新規案件を探すのに時間をとられると、原稿を書くというライターの仕事に使える時間も減りますし、スキルアップのための勉強時間もとれなくなってしまいます。

リピートに
つながらない

仕事に専念できず
スキルアップの
時間も取れない

仕事を探す時間が多くなる

　自分の魅力をアピールできていないorやり方が間違っていることによって継続案件を獲得できない。だからいつまでたっても新規のお仕事を探す時間が減らず、収入も増えない……という悪循環にはまらないようにしましょう。

　リピーターがつけば安定した収入が増えます。さらに時間のゆとりも生まれてスキルアップのための勉強時間も作れるので、さらに良い仕事がとれる、という好循環を作れますよ。

　一度取り引きをしたクライアントにリピーターになってもらうためには、良い仕事をするのはもちろんのこと、納品時に次につながる一言を添える、ブログやSNSを使って情報発信をするなど、ちょっとした行動の積み重ねが重要です。

　第5章では、このような「ライターとしての魅力の高め方」「魅力をアピールする方法」などについて紹介していきます。

STEP 1
商品力を磨こう：
ライターにとっての
商品である「原稿」の
質を上げるには

　ライターとして収入を得るには、商品としての価値が
ある原稿を作らなければいけません。売れる商品（原稿）
を作るには文章力だけでなく、さまざまな要素が必要と
なります。3章では、良い原稿を作るために知っておきた
い知識やテクニックを紹介します。

3-1 お金をもらう以上は考えておきたいこと

●稼げるライターはどっち？

　突然ですが、問題です。下記のような依頼を受けたとき、あなたならどんな原稿を書こうと考えますか？

> **例**
>
> **依頼：「美容についてのコラムを書いてください」**
> クライアントは美容全般を扱う女性向けのサイト。美容系のコラムならなんでも可。はじめにネタ出しをして、クライアントからOKが出たら執筆するという流れ。
>
> **▼Aさん**
> 「美容系だから、コスメ・スキンケア・ダイエットあたりのネタを書けばいいってことだよね。わたしはスキンケアについては詳しいから、スキンケア系の話をどんどん提案しよう！」
>
> **▼Bさん**
> 「美容系の中でもわたしはスキンケアが得意だからスキンケア系で攻めたいな。このサイトを見る限り、美容コラムの中にたまにPR記事が入っている。PR記事の商材はスキンケアだとこのメーカーとこのメーカーと……。なるほど、ここのメーカーに対するネガティブな情報を扱うときは注意しなきゃ」

Aさん

Bさん

自分が得意な
ネタを提案

クライアントの
スポンサーに
配慮したネタを提案

●Aさんが犯してしまうかもしれないミス

　AさんとBさん、2人の考えていることはまるで違います。A
さんは、「美容系ならなんでもいいんだよね、それならわたしが得
意なことを書こう」というところで思考が止まっています。B さ
んは、そのサイトがどういうサイトなのか、「どこからお金が発生
しているのか」というところまで考えています。

　Aさんのようなスタンスで仕事をしていると、知らず知らずの
うちに間違いを犯す可能性があります。たとえば、広告を出して
くれているメーカーを批判するような内容。「○○の化粧水はこ
ういうところがダメだった」とか、「○○の店舗の店員は愛想が悪
くて最悪だった！」など。

　誤解のないように言うと、「スポンサーは持ち上げるべき」とい
うことではありません。Bさんであれば、たとえスポンサーの商
品を批判しなければならないときでも、「こういう点がイマイチ
だけど、こういう点はいいから、こういう人にはいいかも」のよ

うに、スポンサーに配慮した書き方ができます。

●配慮するのと「媚びる」のは違う

　つまり、原稿を書いてお金をもらうということは、「そのお金がどこからきているものなのか」ということを考えたほうが成功しやすいということです。

　もし、自分が書いた記事によってクライアントの収入が減ってしまえば、ライターに払う予算も縮小されてしまいます。原稿料が下がるか、もしくは仕事自体がなくなってしまうことにもなりかねません。「商業ライター」である以上は、自分が書きたいことを自由に書けるわけではないのです。

　こういった話をすると「クライアントに媚びた記事は書きたくない」と考えてしまう人もいるのですが、そういう話ではありません。フリーランスであれば仕事は選べるのですから、自分の意志に反する仕事は断ればいいのです。そのほうが結果的には、自分に合った仕事が見つかりやすくなり、収入増につながるのではないでしょうか。

ワンポイント

　自分が書きたいことを自由に発信したいのであれば、自分でメディアを立ち上げて、そちらに書くという方法もあります。ただし商業ライターとして受けている仕事がある以上は、クライアントに迷惑がかからない範囲でやるべきです。

3-2 指定の文字数に足りない。書き足しで全体をアンバランスにしないためには

●安易な書き足しは修正依頼の元

　本来、原稿は「指定文字数以上にたくさん書いて、そこから削っていく」というスタイルで書くのが理想的です。そのほうが無駄の無い、密度の高い原稿になりますからね。

　とは言え「あと少し足せばいいだけなのになぁ」というときには、イチから書き直すよりも足すべきところを探すほうが効率がいいのも事実です。

　ただし、安易に書き足しただけでは全体がアンバランスになり、原稿の質を下げてしまうことにもつながります。それで修正依頼が来れば、結局は二度手間になってしまいますよね。では、どうすればアンバランスにならずに、指定文字数に到達するまで書き足すことができるのでしょうか？

●読み返すときのチェックポイント

　新たな内容を付け加えなくても、書き足すべきところが見つかることがあります。読み返す際に、以下のポイントをチェックしてみましょう。

- こそあど言葉
- 固有名詞以外の漢字
- 専門用語

◉ こそあど言葉は少ないほうがいい

　こそあど言葉が多いと、それが何を表しているのか、読者が迷子になってしまうことも考えられます。こそあど言葉でわかりにくそうなところは固有名詞に変えましょう。たいてい、固有名詞のほうが文字数は多いです。

例

NG
この本の素晴らしいところは〜

GOOD
「ハリーポッターと賢者の石」の素晴らしいところは〜

SEO的にも、こそあど言葉は少ないほうが良いです（詳しくは3-4「SEOとは？「坊ちゃん」の一節をもとに解説」）

◉ 固有名詞以外の漢字でひらがなにできる？

　「出来る」「事」などは、「できる」「こと」とひらがなで表記するのが一般的です。「頷く」「蔑ろ」など、漢字表記になっているところがあれば、ひらがな表記にするだけで文字数が稼げます。

ひらがな表記のほうが一般的な漢字はたくさんあるので、判断に迷う場合はハンドブックを使うといいでしょう。安価で最低限のことがわかる「日本語表記ルールブック」や、使っている人が多い「記者ハンドブック」などがオススメです。

「日本語表記ルールブック 第2版」
日本エディタースクール出版部（ISBN：978-4888883979）

「記者ハンドブック 第13版 新聞用字用語集」
共同通信社（ISBN：978-4764106871）

◉ 専門用語やわかりにくい表現には解説を

出てくる専門用語が、想定している読者層にとって馴染みのない言葉であれば、注釈をつけたり、わかりやすい言葉で言い換えたほうが伝わりやすくなります。専門用語以外でも、難解でわかりにくい部分はわかりやすく書き換えたほうがいいでしょう。

文字数が増えるだけでなく、読者にとっても読みやすくなるので、結果として質の高い原稿に近づきます。

類語辞典なども活用しましょう。

（Weblio類語辞典　https://thesaurus.weblio.jp/）

例

NG
利差配当付き保険とは、利差益が配当としてつく保険のことです。

> GOOD
> 利差配当付き保険とは、保険会社の運用実績が予想を上回った
> 際に、その余剰金が配当金として支払われる保険のことです。

●冗長になるようなら書き直しを

　書き上げた原稿は必ず読み返して推敲しましょう。読み返せば書き足せる場所は見つかるものです。前ページのチェックポイント以外にも、話題が変わる部分は「唐突に変わった感じがないか」と意識して読んでみると、「次は○○について解説します」のような一文を入れたほうが読みやすくなることもあります。

　ただし、「ここは同じようなことを言っているからカットしたほうがいい」など、逆に削るべきところが見つかることも少なくありません。たとえば、無くても意味が伝わる（むしろ無いほうがすっきりする）接続詞、「わたしは〜わたしは〜」のようにしつこくなっている主語、「約10人程度」のようにあいまいな表現が重なっているところなど……。

　足したいのに、逆に削るのは抵抗があるかもしれませんが、指定文字数をクリアしたいからと言って冗長な部分を放置していると、原稿の質は上がりません。

　ここで紹介したような適切な書き足しをしても、指定文字数にまったく到達しないような場合は、残念ですが一から書き直したほうが近道になります。

スマホの画面が「文字だらけ」になっていない？

●Webの記事は改行の入れ方に気を遣うべし

Web媒体と紙媒体で大きく違うのが、改行の入れ方です。Webの記事は改行が多く、空白行が頻繁に目につきますよね。

昔は本、というか紙自体が高価なものだったので、小さな文字でぎっしり詰め込んだほうが理にかなっていたのでしょう。限られたスペース内で、最大限の情報を提供したいという想いもあったと思います。一方いくらでもページを作れるWeb上では、文字を詰め込むよりも読みやすさを優先した改行を入れる方が理にかなっていると言えます。

特に近年は、パソコンではなくスマホでWebサイトを見る人が増えています。スマホの小さな画面では、こまめに空白行を入れないと画面が「文字だらけ」になってしまうので、意識して改行を調整しなければなりません。

●改行の加減は「スマホからの見た目」を基準に

Webメディアでも、画面の余白（改行）が足りない、と感じる原稿を多く見かけます。なぜ改行が足りなくなってしまうのか。それは、PCのモニターからしか確認していないからです。

ライターでもブロガーでも、「質よりもとにかく量！」「量をこなせばある程度上達する」みたいな話をちょくちょく聞きます。もちろん反対意見もあるんですが、わたしのスタンスとしては、「初心者はとにかく書け！」派です。とは言え、とにかく書いて書いて書きまくれと言われたところで、書けない人は書けません。

でもね、わたしとしては、本当にライターやブロガーになりたいなら、まずたくさ〜てほしい。だから、どうしてたくさん書くことが大事なのか、どうして質より量だ〜るのか、その理由をお伝えしておきたいと思います。もし理由に納得いただけたのなら〜「とにかく書く！」を実践してほしいです。

ライターでもブロガーでも、「質よりもとにかく量！」「量をこなせばある程度上達する」みたいな話をちょくちょく聞きます。もちろん反対意見もあるんですが、わたしのスタンスとしては、「初心者はとにかく書け！」派です。とは言え、とにかく書いて書いて書きまくれと言われたところで、書けない人は書けません。

でもね、わたしとしては、本当にライターやブロガーになりたいなら、まずたくさん書いてみてほしい。だから、どうしてたくさん書くことが大事なのか、どうして質より量だと言い切れるのか、その理由をお伝えしておきたいと思います。もし理由に納得いた〜のなら、ぜひ「とにかく書く！」を実〜

▲▶ PCからだと十分読みやすいと感じても、スマホからだと「画面いっぱい文字だらけ」になっている

ライターでもブロガーでも、「質よりもとにかく量！」「量をこなせばある程度上達する」みたいな話をちょくちょく聞きます。

もちろん反対意見もあるんですが、わたしのスタンスとしては、「初心者はとにかく書け！」派です。

とは言え、とにかく書いて書いて書きまくれと言われたところで、書けない人は書け〜

でもね、わたしとしては、本当にライターやブロガーになりたいなら、まずたくさん〜てほしい。

ライターでもブロガーでも、「質よりもとにかく量！」「量をこなせばある程度上達する」みたいな話をちょくちょく聞きます。

もちろん反対意見もあるんですが、わたしのスタンスとしては、「初心者はとにかく書け！」派です。

とは言え、とにかく書いて書きまくれと言われたところで、書けない人は書けません。

でもね、わたしとしては、本当にライターやブロガーになりたいなら、まずたくさん書いてみてほしい。

だから、どうしてたくさん書くこ〜

▲▶ PCからだと「ちょっと画面が白すぎ？」と思うぐらいでも、スマホからだとちょうどいい

スマホから見たときに「文字だらけ」にならず余白のある記事は、読みやすさが段違いです。

ただし、「改行をたくさん入れましょう！」と言うと、文の途中で改行してしまう人もいます。ですが、これはやめたほうがいい行為です。

> ライターでもブロガーでも、「質よりもとにかく量！」
> 「量をこなせばある程度上達する」みたいな話をちょくちょく聞きます。
>
> もちろん反対意見もあるんですが、わたしのスタンスとしては、
> 「初心者はとにかく書け！」派です。とは言え、とにかく書いて書いて
> 書きまくれと言われたところで、書けない人は書けません。
>
> でもね、わたしとしては、本当にライターやブロガーになりたいなら、
> まずたくさん書いてみてほしい。
>
> だから、どうしてたくさん書くことが大事なのか、どうして質より量だと

▲▶文の途中で改行すると、スマホで見たとき画面の途中で改行が入ってしまい読みづらくなる

　エッセイなどで「あえて雰囲気を出すために途中で改行する」という手法はありますが、<u>スマホから見たときにレイアウトが崩れてしまうような改行は絶対に避けましょう。</u>

　ちなみに、「〇行ぐらいで改行する」という決まりはありません。1行に入る文字数やフォントの大きさ、行間などはメディアごとに違うので、掲載されるメディアごとに調整するのが正解です。

●掲載された記事を確認しよう！

　わたしがWebライティング講師をするようになってから驚いたのが「掲載された記事を確認していない人が多い」ということです。通常、ライターが原稿を納品したあと、装飾などがほどこされた上で、Web上に掲載されます。掲載された状態を見ないことには、改行の入れ方はわかりません。もっと言えば、わたしはフォントの大きさや一行あたりの文字数も見ながら文の長さも調整しています。

　「掲載されるサイトを教えてもらっていない」「まだサイトができあがっていないらしい」といった場合でも心配いりません。少しだけ書いて、クライアントに見てもらえばいいのです。短い原稿を複数依頼されている場合は1本だけ書いて確認します。これならまだサイト自体が完成していない新規案件でも、おおよその傾向がわかりますよね。

　自分の原稿がどのような形で掲載されているのか、改行の加減はちょうどいいか、実際のサイトを見てみないとわからないので、「見たことがない」「あまり見ていない」という人はぜひチェックするようにしてください。

　なお、掲載された記事を確認する重要性については3-15「「振り返り」が仕事の質を上げる」でも説明しているので、参考にしてください。

3-4 SEOとは？「坊ちゃん」の一節をもとに解説

● SEOはなぜ重要なのか？

SEOとは、"Search Engine Optimization"の略で、日本語だと「検索エンジン最適化」。検索エンジンというのはGoogleやYahoo!といった検索サイトのことで、SEOとは「検索結果に表示されやすくするための対策」と考えればいいでしょう。

検索結果の1ページ目、しかもなるべく上位に表示されないと、読者が来てくれません。だから、どこのメディアでもSEOに力を入れているのです。

SEOのためにおこなう施策は数多くありますが、その中には、ライターが書く文章によってできるものもあります。

● ライターにはSEO嫌いの人が多い

「SEOよりも、人に寄り添う記事を書きたい」「SEOは機械的でなんか嫌だ」といった声をよく聞きます。また「検索エンジン対策をしてほしいとは言われていないので、自分は勉強しなくても大丈夫です」といった話も。

本当にそうでしょうか。たしかに、SEOはGoogleのアルゴリズムに従っておこなうものなので機械的なところはあるかもしれま

せん。しかし、Google自体は「ユーザーにとってより良いコンテンツを届けるために日々アルゴリズムを改良している」わけです。SEOは読者を置き去りにするものではなく、読者のことを第一に考え、その一環としてGoogleのアルゴリズムも意識する、というものではないでしょうか。

「SEOライティングを頼まれているわけじゃないから」といってSEOについて勉強しないというのもおかしな話です。Webライティングの仕事にはSEOを求められないものもありますが、大半（体感的には99％ぐらい）はSEOライティングができる人のほうが重宝されるものです。

SEOライティングと言われていなくても、キーワードの指定があるような案件は、間違いなくSEOライティングが求められています。また、たとえSEOライティングのスキルを求められていなくても、SEOライティングができることをクライアントに知ってもらうことで、より単価の高い「ビッグキーワードで上位表示を狙う」ようなSEOライティングを任されるようになることもあります。

だから、Webライターである以上は、SEOを軽視しないでほしいな……と思います。さて、前置きが長くなってしまいましたが、実際のSEOライティングがどんな感じなのか、夏目漱石「坊ちゃん」を題材に見てみましょう。

例

▼原文

　親譲の無鉄砲で小供の時から損ばかりしている。小学校に居る時分学校の二階から飛び降りて一週間ほど腰を抜かした事がある。なぜそんな無闇をしたと聞く人があるかも知れぬ。別段深い理由でもない。新築の二階から首を出していたら、同級生の一人が冗談に、いくら威張っても、そこから飛び降りる事は出来まい。弱虫やーい。と囃たからである。小使に負ぶさって帰って来た時、おやじが大きな眼をして二階ぐらいから飛び降りて腰を抜かす奴があるかと云ったから、この次は抜かさずに飛んで見せますと答えた。

　親類のものから西洋製のナイフを貰って奇麗な刃を日に翳して、友達に見せていたら、……

▼SEOライティングによるリライト

無鉄砲な性格のデメリットとは

　僕は、無鉄砲な性格だ。無鉄砲な性格は親譲りだがデメリットは多い。この性格のせいで子供のころから損ばかりしている。

無鉄砲な性格のデメリット１：腰を痛めて怒られる

　小学生のころ、校舎の２階から飛び降りて腰をケガしたことがある。なぜそんな無茶なことをしたのか、と聞く人がいるかもしれないが深い理由は無い。無鉄砲な性格というだけだ。

　新築の校舎の２階から外を眺めていたら、同級生の１人が冗談で「いくらいばってみてもそこから飛び降りることはできないだろ、弱虫やーい」とはやし立てた。だから、飛び降りた。

　学校の用務員におんぶされて家に帰ると、父親がこう言った。「２階から飛び降りて腰をケガするやつがいるか！」。

　ケガする上に親に怒られるなんて、無鉄砲な性格はデメリットでしかない。

無鉄砲な性格のデメリット２：ナイフで指を切った話

　無鉄砲な性格のデメリットがわかる話はまだある。

　親戚に外国製のナイフをもらった。そのきれいな刃を日光にかざして、友達に見せていた。そしたら友達が……

ワンポイント

　SEO の話に出てくる検索エンジンといえば Google ばかりで、Yahoo! やその他の検索エンジンは出てきません。日本では Yahoo! を使っている人も多いのに、と不思議に思いませんか？実は、Yahoo! の検索エンジンは、Google と同じ検索技術を使っているんです。Yahoo! で検索すると Yahoo! 知恵袋など Yahoo! 系のサービスが出てきやすいなど若干の違いはありますが、基本的には同じものなんです。また、Google と Yahoo! が圧倒的なシェアを誇っているため、SEO ＝ Google 対策、という状態になっています。

次ページで、このリライトでポイントになる点について解説します

●解説：ここでのSEOライティングのポイント

・「無鉄砲」「性格」「デメリット」をキーワードに
・見出しを入れた
・見出しにはキーワードを入れるようにした
・キーワードを適度にちりばめた
・冒頭には特に、キーワードが入るようにした
・こそあど言葉は最低限にした
・共起語を入れた

　「坊ちゃん」の冒頭では、坊ちゃん自身の無鉄砲さを伝える内容になっています。「無鉄砲で損ばかりしている」ということですから、無鉄砲な性格のデメリットを紹介する話だよな、と考えました。

　キーワードとしては「無鉄砲」「損」といった感じになりそうですが、「損」よりも「デメリット」のほうが検索されやすそうな上にわかりやすいですね。また、無鉄砲というのは性格の種類の1つなので「性格」というキーワードも使ったほうが良さそうです。

　キーワードさえ決まれば、あとはタイトルや小見出しにしっかりキーワードを入れる、文章にもちりばめる、といったことを意識して書いていきます。

　また、共起語もポイントです。共起語とは、たとえば「ダイエット」というキーワードなら「体重」とか「カロリー」といった言葉

がよく一緒に出てきますよね。こういった「1つの言葉に対して、それと同時に出てくることが多い言葉」を共起語と言います。

　今回のリライトは短文なのであまり入れられませんでしたが、「損」とか「無茶」といった言葉が共起語にあたります。

　また、こそあど言葉は少ないほうがいいというのは一般的なライティングでもよく言われることですが、SEO的にも最低限にしたほうがいいです。固有名詞をしっかり入れていくことでキーワードの出現数を増やしたり、共起語の出現数や種類を増やせます。

　ただし、「こそあど言葉をなくして全部キーワードを入れる」というような極端なことはしてはいけません。今回のリライトでも、「無鉄砲な性格」と書かずに「この性格」と書いているところもあります。全部にキーワードを詰め込もうとすると読んでいてしつこく、かえって読みづらい文章になるので、キーワードの入れすぎには注意しましょう。

　検索エンジンは日々進化しており、ライターが意識すべきSEOも変化していきます。Webライターとして活動するのであれば、SEOに関するニュースはたまにチェックしておくと良いですよ。

　たとえばニュースアプリでキーワード「SEO」を設定して通知が届くようにするとか、TwitterでSEO関連の情報発信をしている人を複数フォローしておくのもオススメです。

クライアントとの意思疎通で
誤解・すれ違いを防ぐコツ

3-5

●あいまいな言葉が混乱を生む

　意味があいまいな言葉は、幅広く使える分、誤解も生みやすいので注意が必要です。原稿の書き方や仕事の進め方についてクライアントと相談する際、あなたはあいまいな言葉を使っていないでしょうか？

◉トンマナの確認は具体的に

　「トンマナ」とは「トーン＆マナー」の略で、全体の雰囲気のことを指します。デザイン業界で使われるのが一般的ですが、ライティングでも使います。

▲こんなやり取りの際に使われます

「堅い感じ」「柔らかい感じ」といった言葉はあいまいです。ほかにも「フレンドリーに」とか「主婦の方が親近感を持てるような」みたいな言い回しもあいまいな言葉です。なぜなら、人によって基準が違うから。たとえば同じ「堅い感じ」でも、新聞のようなだである調で簡潔な書き方もあれば、ですます調で堅い書き方もありますよね。論文調もまた違った雰囲気になります。

だからこそ、トンマナの確認はもっと具体的にすべきです。

新規メディアであれば難しいですが、既存のメディアであれば、ほかの記事を見るのがオススメです。ほかの人が書いた記事を見ながら、判断に迷うところだけ質問すればいいでしょう。

・語調は？（だである調？ですます調？）
・☆や♪などの記号はアリ？ナシ？
・顔文字の使用はアリ？ナシ？
・主語は「私」？「筆者」？

などなど・・・

新規メディアで参照できる記事が無いと、一から確認しなければなりません。その場合は、クライアントを質問攻めにするよりも、記事サンプルを用意するほうが話が早いです。

手持ちのサンプル原稿や、過去に書いた他サイトの記事などを送り、その中からイメージに近いものを選んでもらうといいで

しょう。

　過去の仕事でイメージに近そうなものが無い場合は、ほかのライターが書いた記事でもOKです。クライアントのイメージに近そうな記事をネット上からいくつか選んでURLを送り、どれがイメージに近いか聞いてみましょう。

　その際にも、「堅い感じ」とか「フレンドリー」とかざっくりした傾向がわかれば、さらに「論文調のかっちりした文章」とか「だである調だけど臨場感のある文章」とか、同じ「堅い感じ」の中でもさらにいくつかのタイプを用意して選んでもらいます。ここまでやれば、お互いのイメージがかなり合致してきます。

　もちろん、それでも方向性のズレは起こるので、実際に書いてみてからフィードバックをもらって、すりあわせをしましょう。

●納期の確認は日にちを切って具体的に

　納期を決める際にも、あいまいな聞き方ではトラブルになりやすいです。「早めに」とか「ゆっくりめに」とか、感覚的な言葉で納期を決めるのは避けてください。

　たとえば次ページのイラストのような場合、運が良ければ喜んでもらえるでしょうが、そんなイチかバチかはいりません。はっきりと「3日後」や「○月○日」と伝えましょう。

◉「早めに」って何日？

さらに、「月末」とか「今週中に」という表現にも注意が必要です。フリーランスのライターさんだと土日も関係なく働いている人もいますが、クライアントが会社員だったり、フリーランスでも土日は休んでいる人だったりするとトラブルが起こります。

納期を決めるときには、<u>土日や祝日のタイミング、クライアントの就労時間にも配慮した上で具体的に提示する</u>のが正解です。

3-6 不安な記事ほどさっさと出すことが大事

●自信がないときこそ納期より早く納品する

「これでいいのかな」「いや、良くない気がする」と、納期ギリギリまで粘ってから原稿を出すタイプのライターさんは多いです。

推敲を重ねて良い原稿になることもたしかにありますが、たいていの場合、粘ってみても不安を抱えたまま、締め切りが来たから仕方なく納品しているのではないでしょうか。もしあなたがそのタイプなら、悪循環にはまる可能性が高いです。

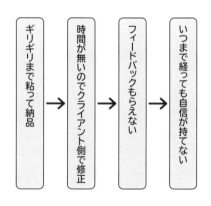

ギリギリまで粘って納品 → 時間が無いのでクライアント側で修正 → フィードバックもらえない → いつまで経っても自信が持てない

締め切りギリギリに提出した原稿が、掲載時に大幅に修正され

ていた、という話は珍しくありません。

　ここで改めて、「推敲」という言葉の意味を見てみましょう。

唐の詩人賈島（かとう）が、「僧は推す月下の門」という自作の詩句について、「推す」を「敲（たた）く」とすべきかどうか思い迷ったすえ、韓愈（かんゆ）に問うて、「敲」の字に改めたという故事から、詩文の字句や文章を十分に吟味して練りなおすこと。（出典：デジタル大辞泉）

　推敲はとても大切です。ただ、推敲は「問題があるところはわかっていて、どう直せばいいかを考えること」なので、以下のような場合は「推敲」とは言えません。

・いつまでも悩んで決めきれない
・不安はあるが具体的にどこがおかしいのかわからない

　つまり、「どこを直せばいいのかわからない」という状態。だからこそ、不安なままで納品することになってしまうのです。

●わからなければ相談すればいい

「どこを直せばいいのかわからない」という状態に陥ったとき、わたしはクライアントに相談することにしています。

1人で悩んでいると、どんどん視野が狭くなってしまうもの。<u>別の人の視点で見てもらったほうが問題は見つかりやすいのです。</u>

クライアント以外でも、家族やライター仲間に見せてみる、という方法もあります。ただし原稿の内容によっては情報漏えいの問題もありますので、慎重に判断しましょう。ならば、やはり一番いいのはさっさと納品して、クライアントの意見をもらうことですね。

ギリギリに納品するより、早めに提出して意見をもらったほうが修正の時間もとれますし、フィードバックをもらうことによりスキルアップにもなります。こういうライターさんは成長が早いです。

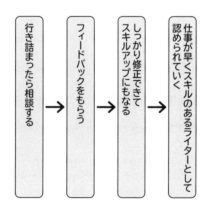

行き詰まったら相談する → フィードバックをもらう → しっかり修正できてスキルアップにもなる → 仕事が早くスキルのあるライターとして認められていく

●フィードバックをもらうコツ

また、「フィードバックがもらえない」と嘆くライターさんも多く見受けられます。締め切りより早めに納品しているのにフィードバックをもらえないなら、聞き方を工夫してみましょう。

参考までに、わたしがフィードバックをもらう際のメールの文面を挙げてみます（冒頭・文末の挨拶などは省略）。

以下のような内容を添えて送れば 何らかのフィードバックは得られるはずなので、ぜひ意識してみてください。ポイントは「不安に思っている点を聞くこと」です。

> **▼表現等で迷う点があるとき**
>
> 『×××××××××××』のところですが、『△△』とするか『▲▲』とするか、どちらがいいでしょうか？個人的には〜〜という理由で『▲▲』のほうがいいような気がするのですが、○○さんのご意見もお聞きしたいです。
>
> **▼漠然とした不安があるとき**
>
> とりあえずこのような形で書き進めてみましたが、いかがでしょうか？
> 方向性が違うとか、表現等でおかしなところがあればご指摘ください。

3-7 御用聞きではなく「クライアントの意図を汲む」

●「言われた通りに」の一歩先へ

クライアントからはマニュアルや記事テーマ、キーワードなどを渡されます。指示内容をきちんと把握して、言われた通りに正しく書くのがライターの仕事です。

しかし、稼げるライターはもう一歩踏み込んで「クライアントの意図を汲む」ということをしています。

たとえばレストランの予約をしたくて電話をしたらその日が満席だったとき、「当店から徒歩10分の場所に姉妹店がございますが、そちらの空き状況を確認いたしましょうか？」と案内されたら、助かりますよね。

「あいにくその日は満席です」とだけ言って済ませる人は「予約できますか」に対して「できるorできない」でしか返答していないので、単なる御用聞きです。「できるorできない」の2択ではなく「姉妹店」という選択肢を提示できるのが、「相手の意図を汲む」という行為なのです。

●ライターにとっての「クライアントの意図を汲む」とは

商品紹介の依頼で指定されたキーワードが「商品名＋デメリッ

ト」だったとき、ただデメリットだけを書くのは違いますよね。商品紹介の依頼である以上は「『商品名＋デメリット』というキーワードで検索する人に向けて、デメリットを解決してあげる、つまり<u>購入につながりそうな内容を書く</u>」。これが、クライアントの意図を汲むということですよね。

では、以下の場合はどうでしょうか？

どちらを紹介すべきか、考えてみてください。ポイントは、「クライアントの意図を考えて選ぶ」ことです。

例

「ケーキ屋さんを紹介する記事のために取材をしました。特定の商品をクローズアップするとしたら、どちらがいいでしょう？」

A：店員さんに取材して教えてもらった、季節限定の商品
B：口コミサイトでよく名前の挙がる定番商品

●さて、正解は？

　流行を追いかけるエンターテインメント系のメディアで「旬の商品を紹介したい」というのがクライアントの意図なら、Aの「季節限定商品」を紹介すべきです。一方、さまざまなケーキ屋さんの情報を掲載している蓄積型のメディアで、長く読まれることを想定した記事であれば、Bのほうが正解となります。

　「ネットの情報を頼りにするよりも、直接人に聞いた情報のほうが価値はありそう！」と判断した人は、もしかしたらAを選んだかもしれませんが、ここで「クライアントが求めるものは何か」と考えられないといけません。

　なので、正解は「掲載先のメディアによる」です。ちょっと意地悪な問題だったでしょうか。しかしここで、「いや、それがどういうメディアに掲載されるのかとか、クライアントがどこなのかっていう情報が無いと選べないよ」と思える人こそが、稼げるライターなのです。

　とは言え、どんなに稼げるライターでも万能ではありませんので、クライアントの意図を図りかねる場合は1人で判断せず、クライアントに質問して答えをもらいましょう。臆せず聞くことができるのも、稼げるライターの条件と言えるのですから。

3-8 フィードバック通りに 修正していてはダメ

●赤の入った原稿を鵜呑みにしていませんか？

　良い原稿を作るためには、クライアントからのフィードバックは欠かせません。でも、指摘された通りに直すだけでは不十分だと理解していますか？

　WebライターはWebライティングのプロですが、クライアントが編集のプロとは限りません。クラウドソーシングが普及してからは特に、「見よう見まねでWebサイトを作っているけれど専門知識は無い企業」だったり、「アフィリエイト収入を得るためにライターに外注しているアフィリエイター」などがクライアントになることも珍しくありません。

　つまり、クライアントからの指摘がそもそも間違っていたり、間違いというほどではなくても、あまり良くなかったりすることがあるのです。

　わたしが実際に見た例を紹介しましょう。

・箇条書きは手抜きに見えるので使わず、すべて文章で書いてほしいとの指示

・参考サイトとして教えられたWebサイトが間違った情報ば

かりのいい加減なサイト

・画像はInstagramのものを使ってほしいという指示（自社アカウントがあるわけではなく、他人のアカウントから拝借しろという指示）

・「〜という」がすべて「〜と言う」に直される

Webライティング講師としていろんな人に相談を受けていると、本当にこういった事例を頻繁に見かけます。

間違っているのでは、と思うことについては、ちゃんと指摘しましょう。「間違いとは言い切れないけど、それは一般的じゃない気がする」と思うものも、「一般的には『〜という』と表記しますが、『〜と言う』と漢字表記にされたのはどういう狙いがあるのでしょうか？」のように聞いてみましょう。

クライアント側の知識不足の場合は指摘しづらいかもしれませんが、「一般的には〜〜と言われているみたいですよ」というスタンスで指摘すると角が立ちにくいです。

Webライターは単なる「下請け」ではなく、ライティングのプロです。言いなりになるのではなく、プロとして意見を言うべきところは言いましょう。

●担当者によって言っていることが違う場合の対処法

案件によっては複数の担当者とやり取りしたり、途中で担当者が変わったり、といったこともあります。すると、「AさんとBさ

んで言っていることが違う」という場面にも遭遇しますよね。

「担当者によって言うことが違うじゃないか」と心の中で愚痴を言いながらも、その都度従っていないでしょうか。担当者ごとに言っていることが違う場合は、その旨を伝えてください。

会社として方針が統一されていないのはクライアントにとってもマイナスですし、ライターとしてもクライアントと良い関係を築くのも難しくなり、モチベーションが保てなくなります。

「以前はこう指示されていたのですが、方針が変わったのでしょうか？」のように相談すれば、指示内容も統一してもらえるでしょう。

ワンポイント

フィードバックがあった内容に関して、クライアント側でマニュアルとして蓄積していない場合も多いので、ライター側できちんと記録をつけておくのもオススメです。指摘された内容を記録した「自分用」のマニュアルがあれば、同じミスを繰り返しにくくなりますよ。

3-9 WordPressでの入稿方法

　原稿の提出方法は媒体によってまちまちですが、「運営メディアの管理画面への入力」が納品方法になっている案件もあります。インターネットメディアではWordPressというシステムを使用していることが多く、WordPressの基本的な入力方法を理解しておくと仕事の幅も広がります。

　そこで、この節ではWordPressの基本的な使い方を解説します。メディアによって入力画面に多少の差はありますが、基本操作方法は変わりません。
（本書では2021年1月現在で最新版のWordPress5.7の画面を使って解説します）

> プロフィールに「※WordPressでの入稿が可能です」という一文を入れるだけでも、WordPressを利用してメディアを運営しているクライアントへのアピールになります。

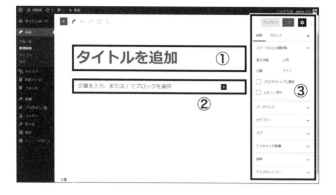

　入力画面は大きく分けて3つのエリアに別れています。1つ目がタイトルエリア（図内①）、2つ目が本文入力エリア（図内②）、3つ目がサイドパネルエリア（図内③）です。

◎タイトル

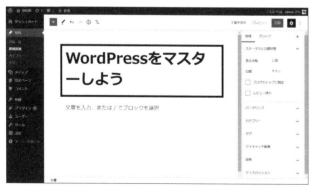

　タイトルはその名の通り、記事タイトルを入力するエリアです。ここで入力した文字列が記事のタイトルとして表示されます。

◎本文

　本文エリアにカーソルを合わせて、文章を入力すれば本文が反映されます。本文エリアは見出しや文字の修飾、画像や動画の挿入、リンクなどが設定可能です。

本文エリアにカーソルを合わせると、枠内のようなメニューが表示されます。一番左のアイコンをクリックすると文字のスタイルを変更できます。

「見出し」を選択すると、本文が小見出しに変更されます。

　見出しはH1〜H6まで選択可能ですので、メディアのルールに
沿って選択しましょう。

なお、一度見出しに変更した文章も、「段落（段落記号：¶）」を選択すれば本文に戻すことができます。

　「B」を選択すると太字になります。

「引用」を選択すると引用スタイルになります。なお、引用元も入力可能になります。

　文章を削除したい場合は、一文字一文字［BackSpace］キーや［Delete］キーで消すこともできますが、一番右のメニューの「ブロックを削除」を使うと一つの段落すべてを削除することが可能です。

◎画像の挿入

　段落の右側に表示されている「＋」をクリックして、「画像」を選択します。もし表示されていなければ「すべてを表示」をクリックすると表示されるようになります。

「アップロード」をクリックして、掲載したい画像を選択します。

画像が表示されます。キャプションを入れることも可能です。

◎リンク

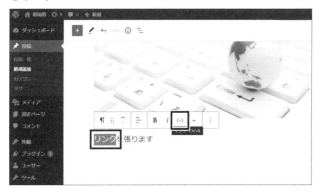

リンクを張りたい文字列を選択し、リンクをクリックします。

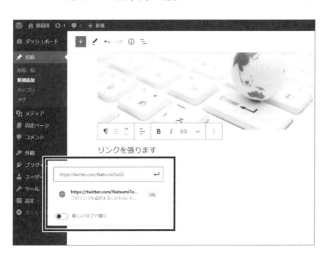

リンクしたいURLを入力し、「↵」をクリックします。

指定の文字列にリンクが設置されます。

また、本文に直接URLを貼り付けることでも自動的にリンクが設置されます。

◎保存やプレビュー、公開設定

　右上から下書き保存やプレビューの確認、公開設定が可能になります。一般的に公開はメディア側でおこなうことが多いので、下書き保存し、入力した内容がしっかり反映されているかどうか、プレビューを確認しましょう。

　プレビューをクリックし、デスクトップやモバイルの表示を選択し、「新しいタブでプレビュー」をクリックします。

WordPressをマスターしよう

　すると入力した内容が確認できます。この状態で外部の読者が閲覧しますので、ミスがないようにしっかりチェックしましょう。

> WordPressは個人ブログでもよく利用されているツールですので、もし自分のブログを運営したいと思っているのであれば、ほぼ同じやり方で運営することが可能です。ライティングのお仕事をしながら自分のスキルを伸ばすことができるのもWebライターの魅力です。

3-10 必ず、一次ソースの情報を使うこと

●その情報、そもそも本当に正しいですか？

　Webライターはただ文章を書くだけではなく、「情報を正しく扱う」のも仕事です。伝えたい情報を適切に読者に届けることが仕事だと言ってもいいでしょう。つまり、どんなにきれいな文章が書けても、調べた情報が間違っていたら意味がないのです。

　効率よく「正しい情報」を集めるには、一次ソースを探すのが一番です。一次ソースとは、「一番大元となる情報」のこと。一次ソースが引用や転載されることで、二次ソース、三次ソース…と広がっていきます。世の中には二次ソースや三次ソースの情報も多いため、「そもそも一次ソースを探すのに時間がかかる」とか「それが一次ソースなのか判断できない」という人も多いようです。

●「公式サイト」などオフィシャルなところから探そう

　個人のブログやYahoo!知恵袋のようなユーザー参加型サイトに載っている情報よりも、公式サイトのほうが信頼性は高いですよね。ブログやYahoo!知恵袋にはユーザーの口コミや体験談が掲載されているから参考になると思いがちですが、一般ユーザーの口コミは主観的すぎて参考にならないこともあります。中にはヤ

ラセやサクラもいますので、安易に信用してはいけません。

　書籍を調べる場合でも同じで、著者が誰なのか、本当にその分野に精通している人なのか、ということをチェックするクセをつけましょう。統計などのデータを探すときにも、総務省統計局のようなところを最優先に探すと一次ソースが見つかります。企業サイトがおこなっているようなアンケートでも参考になるものはありますが、母数が少なかったり、そもそも調査対象者に偏りがあるケースもあるので注意が必要です。

参考：統計局　https://www.stat.go.jp/
参考：統計ダッシュボード　https://dashboard.e-stat.go.jp/

●運営者情報や問い合わせフォームが無いサイトは除外する

　調べる内容によっては、公式な情報が見つからないこともあります。稼げていないライターさんの仕事の進め方を見ていると、「どこの誰が運営しているのかもわからない、情報の信ぴょう性が低いサイト」を参考にしてしまっているケースが少なくありません。公式な情報がネット上で見つからず、ほかの機関や企業が公表している情報を参考にする場合でも、「運営者情報」や「問い合わせフォーム」が存在しないようなサイトは参考にしないでください。もちろん、運営者情報などがあっても、信頼できるサイトとは限りません。

　また、「複数のサイトや本を調べて同じことが書いてあれば大丈夫」と信じている人もいますが、ネット上の情報は特に、「1つ

の間違った情報をもとに、似たような記事が2つも3つも作られる」ということが頻繁に起こるため、信用はできません。こういった信頼性の低い情報源も「こう書いているメディアもあるんだな」と情報収集の一環として参考にするのはかまいません。ただし、その情報が本当に正しいのかどうかは、必ず別途確認してください。ネットや書籍などで情報が取れないのであれば、正しい情報がありそうな会社や人に取材しましょう。

運営者情報が非常にわかりにくいところにあるサイトも避けましょう

●大元にたどり着くまで調査するべき

　ニュースサイトなどで「○○の調査によると〜」といった記載がされていることがあります。こういったニュース記事の内容を参考にするのもやめましょう。「大手新聞社などのニュースなら問題ないのでは？」と思っている人も多いのですが、ニュースになっている時点で、それは二次ソースです。

　たとえばニュースの記事内に「厚生労働省の調査（平成○年国民生活基礎調査の概況）によると〜」といった記載があったなら、厚生労働省の公式サイトへ飛び、当該の調査結果を直接確認すべきです。こういった統計は特に、書き手の「データの読み方」で印象が左右されます。中には読み取り方が間違っていることもあります。

一次ソースにこだわって情報収集していれば正しい情報をもとにした原稿になります。そして、正しい情報を伝えられるライターは信頼されやすいので、稼げるライターへステップアップできるでしょう。

▲参考：PR TIMES（https://prtimes.jp/）

ワンポイント

　例に挙げた公的機関の調査などでは、プレスリリースとして調査の概要をまとめた「報道発表資料」が出ていることが多いです。そして、それをもとに原稿を書く人が多いように思います。しかし、調査結果全体に目を通したほうがより自分の理解も深まり、また独自に気づける点もあるため、原稿の質も上がります。

3-11 執筆ペースを把握せよ

●執筆ペースを把握している人は仕事が早い

質の高い原稿を早く書けるライターは、クライアントに信頼されます。また、仕事が早い分対応できる仕事の量も必然的に多くなるので、それだけ収入も増えます。

仕事の早さは「読み書きの早さ」や「情報収集の早さ」といったスキルだと思われがちですが、そんなことはありません。大事なのは、「自分の執筆ペースを把握しているか」なのです。

思うように稼げていないライターさんは、自分の執筆ペースを把握していないせいで受注量を低めに見積もっている傾向があります。また、仕事にかける時間も長くなりがちですが、特別なスキルがなくても、自分の執筆ペースさえ知っていれば仕事が早い人になれます。

●行程ごとの時間を計測してみよう

「執筆ペース」とは、「文章を入力する時間（タイピング速度）」のことではありません。ここで言う執筆ペースとは、情報収集から校正、納品までにかかる「ペース配分」を指します。

以下の行程それぞれにどれぐらい時間をかけているのか、だい

たいでいいので計測してみてください。

・情報収集
・構成
・執筆
・校正や推敲
・画像選定や編集

　案件ごとに差はあると思いますが、「こういう案件だとこれぐらい」「このジャンルだとこれぐらい」といった感覚がつかめるまで続けてみてください。1週間も続ければだいたい把握できるはずです。

　ある程度把握できれば十分ですが、より精度の高い分析をしたければ記録をとってみてもいいでしょう。アプリを使えば簡単に記録できます。

タイムロガー ▶

●作業時間の見積もりが正確になれば、仕事が増やせる！

仕事を受けすぎて締め切りに間に合わなくなっては困るので、控えめに受注している人が多いです。しかし、自分の執筆ペースを把握しておけば作業時間の見積もり精度が上がるので、より多くの仕事を受注できるようになるでしょう。仕事の量が増えれば、それに比例して収入は上がります。

さらに、一定期間に受けられる仕事の量が増えると、それだけ実績も経験も早く積み上がるため、ライターとしての成長も早くなっていきます。

●スキマ時間を活用できるようになるので効率的に働ける

10分や20分といった「腰を据えて仕事をするには短いスキマ時間」も、うまく活用しましょう。「これぐらいの原稿なら15分で構成が作れるな」とか、「今のうちに画像1枚選べるな」といった具合です。

特に、副業ライターさんや育児中のライターさんなどは、スキマ時間の活用で劇的に能率が上がるはずです。電車に乗っている時間、キッチンで煮物を作っている時間……。行程ごとの作業時間がわかると「今のうちにちょっとやっておくか」と自然に思えるようになりますよ。

「情報収集」や「執筆」も例外ではありません。情報収集であれば「とりあえず調べたいことについて検索し、あとで読みたいページを全部開いておく」、「メモ代わりに画面をスクショしてお

く」、「スクショした参考画像を専用フォルダやアルバムに放り込んでおく」といった作業はいずれも短時間でできるはず。執筆も、構成案があれば「1段落ずつ書く」のもいいですし、「タイトルに使いたいフレーズを1つ考えてみる」といった作業でもいいでしょう。

|ワンポイント

　ちなみにこの方法は、実は家事にも応用可能です。わたしは「食器洗い」や「洗濯物を畳む」という家事が苦手で後回しにしがちでしたが、それぞれ10分あればできるということがわかってからは、「仕事の休憩がてらちょっと家事をしよう」と気軽に家事ができるようになりました。

3-12 集めた情報を すべて使うのは間違い

●苦労して調べた情報でも不要なら削る勇気を

　質の高い原稿を作るためには、思い切って内容をカットする勇気も必要です。ところが、「せっかく調べたのだから使わないのはもったいない」とばかりに、あれもこれも、原稿に盛り込もうとしているライターさんも多くいます。

　特に気を付けたいのが、調べるのに苦労した情報です。「あれだけ時間をかけて調べたんだからここは削りたくない」と無意識に思っていないでしょうか。「調べるのに苦労した情報」と「価値のある情報」は別物です。たとえ時間をかけて手に入れた情報でも、原稿に必要ないものはカットする勇気を持ちましょう。

|ワンポイント

　その情報が必要かどうかを判断するために、「伝えたいこと（本筋）は何か」を強く意識し、「それを伝えるためにこの情報は本当に必要か」と自問しましょう。伝えたいこと（本筋）とズレるようであればその情報は不要です。

●情報は「多めに仕入れて必要な分だけ使う」のが基本

執筆段階に入るまでは、集めた情報のうちどれが必要なのか判断しづらいことも珍しくありません。だからこそ、「情報は削るもの」という前提を持っておきましょう。

たとえばテレビ番組の制作では、本来30分の番組であっても1時間以上テープを回し、面白いところだけを凝縮して作ったりしていますよね。

はじめから「絶対に必要！」と思える情報しか集めないというスタンスだと、いざ書いてみたら情報が足りなくて内容が薄くなってしまったり、読者のニーズに合わない原稿になってしまう恐れもあります。追加で情報収集するにしても手間がかかるでしょう。使うかどうかわからなくても一応調べておき、そこから凝縮したほうが中身の濃い原稿になります。

●情報の「ロス率」を下げて効率よく情報収集するには？

不要な情報は、たとえ苦労して手に入れたものであっても手ばなさなければいけません。しかし、毎回時間をかけて集めた情報が不要になってしまうようでは効率が悪いですよね。

ロス率の問題はライターに限らず、どんな業種でも試行錯誤されています。たとえば飲食店では、「先入先出」の原則を守る、といった方法でロス率を最低限にできるようにしています。

ニュースを扱うライターならまさしく「先入先出」の原則が使えますね。入ってきた情報を後回しにすると、情報の鮮度が下がり使えなくなってしまいます。**保存がきく（時事ネタや流行と関係の無い）ネタと、鮮度が重要なネタを意識して使い分けると情報の「ロス率」が下がります。**

　また、雑誌の作り方を参考にするのもオススメです。雑誌の記事作りは、企画を練り、紙面のラフ（どこにどんな情報が入るか）を決めてから、必要な情報を取材して集める、といった流れでおこなわれます。最初に企画の内容をまとめるので、それに応じた情報収集をすればよく、大きなロスは出にくいのです。

　Webライターの場合も、**先に「ラフ」的な構成案を詰めておき、それに応じて情報収集するというスタイルならロス率は低くなるでしょう。**

> 「先入先出」とは、先に仕入れたものを先に出すこと。先に入った食材を優先的に使えるよう手前に置くなどして、期限切れによる廃棄（ロス）を減らすための方法です。

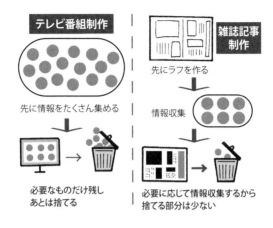

テレビ番組制作

先に情報をたくさん集める

必要なものだけ残し
あとは捨てる

雑誌記事
制作

先にラフを作る

情報収集

必要に応じて情報収集するから
捨てる部分は少ない

　ただ、テレビ番組のようにロス率が高くなるのがダメということではありません。一見無駄なように見えても、取材を進める中で想定外のネタが見つかることもあります。たとえば、あらかじめ考えていた企画自体をひっくり返すような事実を発見したり、「一応調べておくか」と気軽な気持ちで調べてみたら、「特ダネ」に遭遇したりするかもしれません。

　「時間と労力がもったいないから最低限しか調べない」というスタンスで「特ダネ」を取りこぼしてはそれこそ「もったいない」！テーマやジャンルによっては、たとえ無駄になっても先にたくさんの情報を仕入れたほうがいいケースもありますが、判断できるようになるにはある程度の経験値が必要なので、両方試した上で使い分けできるようになりましょう。

Webライターの仕事は「伝える」こと

● Webライターの仕事は「伝える」こと

多くの人は、稼げるライターになるために必要なのは文章力だと思っています。でもわたしは、「文章力は必ずしも重要ではない」と考えていますし、実際そのような発言をブログやインタビューなどでしたこともあります。でもそれは、「日本語の正しさばかりに気を取られていてはいけない」という意図です。

Webライターの仕事は、「伝えたいことを伝えたい相手に届ける」こと。極端に言えば、文章が下手でも伝えるのが上手な人と、文章は美しいけれど何が言いたいのか伝わらない人とでは、前者のほうがライターに向いています。

Webライターに近い立場に「ブロガー」があります。最近はブログをもとにした収入で生計を立てているという意味で「プロブロガー」という言葉も使われます。人気のブロガーさんでも、ライターから見れば文章が稚拙だったり、言葉遣いが間違っていたり、といったことはありますよね。でも、書いている内容が面白かったり役に立ったりするからたくさんの人に読まれています。

●文章力だけで判断していては魅力的な文章は書けない

Webライターさんの中には、文章力だけに気を取られ、「自分はまだまだ」と文章の勉強ばかりに時間をかけたり、もしくは「あの人は文章力のレベルが低い」などと批判したりする人も見受けられます。このように文章力だけでライターの良し悪しを判断していては、稼げるライターへの道のりは遠いです。

繰り返しになりますが、Webライターに必要なのは、「伝える力」です。文法や言葉遣いが正しくとも、熱意のない、読者の感情を動かさない原稿では「伝える」ことはできません。

「熱意」とか「感情」というと暑苦しく感じてしまいますが、たとえば何かのハウツーを紹介する記事なら、それを読んだ人が「わたしもやってみようかな」と思えるようなものを書こうということです。

ただ機械的に正しいことを書いていても、読者の心に残らず「ふーん」で終わってしまったり、退屈して途中で読むのをやめられてしまってはいけないのです。

●「伝える力」には3つの要素がある

「Webライターに文章力は必要ない」というのは、「文章力だけ気にしていてはダメ」という意味です。文章力についても勉強はしたほうがいいですし、わたしもつねに勉強しています。ただ、ライターに必要な「伝える力」には、文章力以外にも必要な要素があります。わたしは、「伝える力」には「正しく情報収集できる

能力」「伝わりやすい構成を作る能力」「正しい日本語を扱う能力」の3つが必要だと思っています。

情報収集力というのは、正しい情報を適切に集める力のこと。構成力は、「わかりやすくまとめる力」と言い換えてもいいでしょう。

目次をご覧いただいてもわかる通り、この本では「正しい日本語の書き方」についてはほとんど説明していません。文章の書き方に関する本はすでに良書がたくさんありますし、この本を手に取ってくださっている方ならすでに読んだことがあるでしょうから、わたしが今さら言うようなことは何もありません。

ライター（writer）という言葉をそのまま「書く人」だととらえていると、文章力ばかりが気になってしまうものですが、それと同じぐらい、情報収集のやり方や構成力を鍛えることも大事なのです。

3-14 記事の8割はスマホで作れる

●スマホ×スキマ時間でほとんどの仕事はできる

　スマホは長い文章も打ちづらいですし、ライターの仕事用ツールとしては使えない、と思っていませんか？「ライターの仕事道具と言えばパソコン」というイメージは強いですが、わたしはライターとしての仕事の8割をスマホで行っています。

　おかげで、家事育児をしながらでもフルタイム並みの時間を仕事に充てられますし、自分のスキルアップのための時間も取れています。スマホならいつでもどこでも使えるので、スキマ時間にささっと作業するのに向いているのです。

　Webライターとしてもっと稼げるようになりたいと思ったとき、壁になるのは「時間」です。最大の壁は、「スキル不足」だと思っている人が多いのですが、そもそも、スキル不足を解消するためには勉強する時間が必要です。でも、現実には勉強する時間がなかなかとれない…。副業ライターさんはもちろんのこと、本業ライターさんでも目の前の仕事に時間をとられてしまうと、勉強のための時間が捻出できません。

　だからこそ、スマホをもっと活用して、スキマ時間に作業をどんどん進めましょう。

●スマホでできる作業はこんなにある

　記事作成の行程のうち、スマホからでもできることはこれだけ
あります。

・クライアントとのやり取り

・ネタ集めのためのネット検索

・ネタ出しをしてスマホにメモ

・情報収集のためのネット検索や資料となる書籍の注文、電子
　書籍を読む

・原稿の構成案を作る

・画像選定

・色調調整などの画像編集

・請求書作成と送付

　参考までに、普段わたしがスマホでおこなうことが多い作業を
挙げてみましたが、これ以外、執筆作業なども含め、やろうと思
えばすべての作業をスマホでおこなえます。

　スマホで作業するならアプリや Web サービスを有効活用しましょう。わたしの場合、メモや構成、執筆などは Google ドキュメントを使っています。画像の編集はほとんど iPhone に最初から入っている「写真」アプリを使用。請求書は「MF クラウド確定申告」を利用中です。

●こんなにあるスキマ時間！有効活用しなきゃもったいない

わたしは主にこんなとき、スマホで作業しています。

・バスや電車で移動している時間

・バスや電車を待つ時間

・料理中の待ち時間

・夕食後団らん時の CM 中

・飲食店で料理を待つ時間

・待ち合わせで待つ時間

・（友達と遊んでいる時に）相手が席を立っている時間

　最後のほうはさすがにやりすぎな気もしますが、仕事が溜まりにくくなるので心理的に楽になります。

●「チリも積もれば」はスキマ時間にも当てはまる

　スキマ時間は本来捨ててしまっている時間とも言えます。1つひとつは取るに足らない短い時間ですが、集めると意外とバカになりません。

　わたしが長文記事（大量画像あり）を書くときは、ある程度スマホで作業を進めておくため、パソコンの前で作業するのは2時間程度です。

　ためしに同程度の原稿をすべてパソコンだけで作成してみたところ、10時間もかかってしまいました。つまり、スキマ時間だけで8時間にもなっていたということ。

　それに、長時間パソコンに向かい続けていると、どうしても集中力が低下してパフォーマンスが落ちてしまいますが、スマホでこまめに作業していれば集中力が途切れることもありませんし、「ちょっとやっとくか」と軽い感覚で取り組めますから、ストレスにもなりません。集中するのに時間がかかる方は3-19「集中力を維持するためのやることリスト」も参考にしてください。

中には、長時間パソコンに向かって作業するのが苦にならない人もいると思いますが、ちょっとしたメールの返事ぐらいはスマホで返しておいたほうが、作業に集中しやすくなります。また、パソコンを持っていくほどでもないちょっとした外出時でも、スマホさえあれば仕事が進められるというメリットもありますよ。

　とは言え、執筆作業だけはパソコンのほうが断然かどりますし、画像編集に関しても、最後にパソコンからチェックすることを忘れないでください。**画像の場合は特に、パソコンの大画面で見ると「ピントが合っていなかった」とか「個人情報が写り込んでいる」といったこともあるので要注意**です。

　パソコンはライターにとって欠かせない仕事道具ですが、スマホも併用しながら作業することでスキマ時間が活用でき、余った時間の有効活用にもなるので、ぜひチャレンジしてみてください。

わたしの場合はパソコンの広い画面よりも、スマホの小さな画面のほうが実は集中しやすいです。こういう感覚は個人差が大きいでしょうが、もしわたしと同じタイプであれば、スマホでの作業は案外とても快適だと思いますよ。

3-15 「振り返り」が 仕事の質を上げる

●掲載された記事を確認しよう！

　完成した原稿を納品してしまえばライターの仕事は終わり、と思っていませんか？大事なのは納品したあとなのです。

　Webライターの仕事では、修正依頼もほとんどなく、入稿と同時にOKが来るような案件も珍しくありません。特にクラウドソーシングを使った取り引きの場合、クライアントがチェックしてOKが出た時点でプロジェクト完了の手続きをしてしまうので、そこで仕事が終わった気になりやすいのです。

　しかし、本当に大切なのはそのあと。自分の原稿がどのように編集され、どのように掲載されたのか、必ずチェックするようにしましょう。

●掲載された記事にはたくさんの学びがある

　納品した原稿に大きな問題があればクライアントから直接フィードバックがありますが、細かい点についてはいちいち指摘しないクライアントも多いです。掲載時には手直しが加えられているのに、気づかず毎回同じ失敗を繰り返していては、なかなか報酬を上げてはもらえません。それはもったいないと思いませんか？

特に修正依頼がなかった案件でも、掲載された記事を見るといろいろと手が加えられているものです。

例

▼自分が書いた原稿

「店の前には10人ほどのお客さんが並んでおり、店内もあまり混んでなさそうだったのでとりあえず行列に並んでみました。10分もすればお店に入れるかなぁと思っていたのですがなかなか行列は進まず、やっと席に案内されたころにはもう30分以上経っていました。」

▼編集された原稿

「店の前に並んでいるのは10人ほどで、店内もあまり混雑していない様子だったので、とりあえず行列に並びました。10分も経てば案内されるだろうと思っていたのですが意外と行列は進まず、やっと席に案内されたころにはもう30分以上経過していました。」

編集によって読みやすくなっているところもあれば、間違いではないけれどそのメディアのトンマナに揃えられているのだな、とわかるところもありますね。

・全体に表現が簡素になっている

・「入れるかなぁ」などの口語的な表現がなくなっている

・「混んで→混雑」、「経って→経過」など、漢語が好まれる傾向

など、掲載された記事から改善すべき点を読み取りましょう。

どこがどのように変えられているのかをチェックすることで、「次からはこういう書き方にしたほうが良さそうだ」というポイントや、クライアントの好む書き方も見つかります。赤の入った原稿を戻してくれるクライアントは、Web媒体の場合は多くありません。自分から掲載された記事を見に行き、それを自分の学びにしましょう。

気づいた点は次回の原稿に反映させ、掲載されたらまた確認する。そのサイクルを繰り返していけば、どのような原稿を書けばいいのか、指示が無くとも細かいところまで配慮できるようになり、クライアントからも「○○さんはどんどん良くなっている」と思われます。

その結果、長く取り引きしてもらえたり、単価が上がったりして、働きやすくなっていきます。単価を上げたい、長期の継続依頼がほしいと思うなら、まずは「振り返り」をして原稿の質を上げていく努力をしましょう。

もちろん単発の依頼であっても振り返りは重要です。今後そのクライアントがリピーターになってくれる可能性もありますし、また、単発案件で得た気づきがほかの案件で生かされることもあるので、「納品後の振り返り」は必ずおこないましょう。

●確認していなかったせいで問題が起こるケースもある

掲載された記事を確認すべき理由はもう1つあります。掲載された記事のせいであなたが不利益を被る可能性があるのです。

実際にあった例ですが、とあるライターさんが自分の記事を確認したところ、内容が大幅に改変されていました。「編集した」というレベルではなく、書いている内容までまるで違います。でも、そのライターさんの名前で掲載されています。

　内容が劇的に良くなっているのであれば自分の力不足を嘆くだけで済みましたが、残念ながらそうではありません。

　このような例は何度か聞いたことがあり、「内容が間違っている」「読みづらくなっている」など、マイナス方向に修正されてしまうことがあります。

　紙媒体ではあまり発生しない問題ですが、Webメディアには専任の編集者がいないケースも多く、知識の無い人が編集作業をすると、このような事態になってしまうことがあります。

　もし、「ライターをリクルートしたい」と思っている人、つまり、自分のメディアで書いてもらえそうなライターを探している人におかしな編集をされた記事を読まれてしまったら、「この人はダメだな」と思われ、スカウトされるチャンスを逃してしまいます。情報が間違っていた場合も、ライターの名前が掲載されていればそのライターが間違えたのだと読者は思いますよね。

　このような「事故」を防ぐためにも、掲載された記事を確認する「振り返り」は必ずしたほうがいいのです。

●掲載後の原稿に問題があったときの対処法

　万が一掲載後の原稿に問題があった場合は、すみやかにクライ

アントに確認を入れましょう。「内容が大きく変わっていますが ほかの方の原稿と入れ替わっていませんか?」と切り出してみて もいいでしょう。実際に「ほかのライターの原稿と取り違えてい た」というケースも見たことがあります。

　また「編集後のこの部分はWebライティングとしては一般的で はない書き方ですが」のように具体的に指摘した上で理由を聞い てみてもいいでしょう。

ワンポイント

　書いた記事を自分のSNSでシェアすると喜ばれることも あります。そういう意味でも、掲載された記事はチェックし ておきましょう。

3-16 長文記事で「書ききった！」と満足しているだけではダメ

●長文記事を「最後まで読んでもらう」つもりで 書いていますか？

　文字数が5千文字以上など、長文記事になると書くのが一苦労ですが、読むほうだって大変です。あなたは長文記事を書くとき、最後まで読んでもらうことを意識していますか？

　5千文字を超えるような記事は、読んでいて「長いな……」と感じるはずです。その上、その記事が冗長だったり構成が悪かったりすれば、みんな途中で読むのをやめてしまうでしょう。長文記事を最後まで読んでもらうのは簡単なことではないのです。

　とにかく書き上げることに必死になり、読者に「読んでもらう」という意識ができていない人は要注意です。

●長文記事ほどコンパクトにすべし

　長文記事は、気をつけないと冗長な文章になってしまいがちです。文字数を稼ぐために回りくどい書き方をしたり、説明がいらないような場面で詳しい説明を始めてみたり。読んでいてストレスを感じる文章を、読者は最後まで読んではくれません。

　長文記事ほど、より読みやすさを重視してコンパクトな表現を

心がけましょう。それだと文字数が少なくなってしまうと感じるなら、情報量を増やせばいいのです。情報量が多ければ、文字数が多くても冗長にならず、かつ密度の高い原稿になります。

●長文記事の狙いはSEO対策のための「網羅性」

そもそもクライアントは、どうして読むのが大変な長文記事を依頼してくるのでしょうか？それは、検索エンジンの傾向として、長文記事ほど評価されやすいという、SEOとしての狙いがあるからです。

しかし、ただ長ければいいというものではありません。大事なのは情報の網羅性、つまり「このページだけ読めば読者の疑問が解決される」という点です。**与えられたテーマに関して読者の疑問がすべて解決される文章になっていれば、実は文字数は関係ありません。**

とは言え、網羅性のある内容にしようと思えば必然的に長文になるもの。長文記事の依頼には「とにかくたくさん書いて！」ではなく「必要な情報をすべて盛り込んだ網羅性のある原稿を書いて！」という意図があるのです。

無駄に引き延ばして文字数を増やしても、読者にとってもSEOとしても無意味です。そのテーマに関して情報が網羅されていて、中身の濃い原稿になっていること、かつ、最後まで読んでもらえるような、読みやすさを重視したコンテンツになっているかどうかが大事なのです。

●「最後まで読まれる長文記事」のキモは構成にあり

　長文記事を書いていると、「自分が何を書いているのかよくわからなくなってくる」という人もいます。自分の文章の中で迷子になっている状態です。

　そのような状態で書かれた記事は、当然読者も迷子になります。何が言いたいのかわからない・難しい・読みにくい……。長文記事の質を高めるには、文章そのものだけではなく、全体の構成が重要です。

　「話題がコロコロ変わる」「同じ話を何度もしてしまう」といった問題は、書く前に構成をしっかり練れば解決できます。その際、ざっくりと全体の流れを決めて、小見出しを作って……というだけでは不十分です。**各小見出し内にどんなことを書くのかまで、きちんと書き込んだ構成案を作りましょう。**

◉例：5千字弱の記事の構成案

```
タイトル仮：チャットワークで意外と知られていない便利な機能

リード：
チャットワークがめっちゃ便利
いろんな機能がある
みんなに知ってほしい
だから紹介する

<h2>初心者向け：チャットワークの基本的な機能</h2>
基本的な機能の紹介（チャットワーク自体は知ってるよという人向け）

グループチャット
ファイル添付もできる（LINEはできない）
タスク管理
TOをつけて呼びかけができる
スマホアプリもある

※1つずつh3で解説（シンプルに|

<h2>チャットワークで意外と知られていない便利な機能</h2>

前のメッセージをリンクできる
未読に戻せる
音声を送れる（スマホアプリ）
カメラで撮って送れる（スマホアプリ
```

出典：チャットワークは使い方次第で最強ツールになる！仕事が早い人が実践している7つのコツと基本的な機能5つ（https://nomad-saving.com/36131/）

明確な構成案ができていれば、執筆時に迷子になることもありません。また、構成に沿ってスムーズに書けるので執筆時間も短縮できます。

ワンポイント

　自分が書いた長文記事が本当に最後まで読んでもらえているのか、可能なら、クライアントからアクセス解析のデータを見せてもらうのもオススメです。長文記事の場合は「平均滞在時間」に注目しましょう。1分間に読める文字数は500文字前後だそうなので、5千文字程度の記事で10分間ほどの滞在時間になっているのが理想です。実際には最後に読まない人も一定数いますが、それでも8〜9分あれば最後まで読む人が多いということがわかります。

3-17 文章以外の表現方法も提案する

●なんでもかんでも「文章」で表現するのは読者に優しくない

原稿を書いていると、言葉では説明が難しい部分にぶつかることがあります。「図があったほうがわかりやすい」、「表を入れたほうがわかりやすい」と思いつつも、無理に文章で表現しようとしていませんか？

「ライターの仕事は文章を書くこと」と思っていると、ほかの表現方法を使うという選択肢が思い浮かばないことがあります。

しかし、稼げるライターは、必要に応じて文章以外の表現方法も選んでいます。なぜなら、こだわるべきは「これをどう文章で表現するか」ではなく、「読者がわかりやすいと感じる表現方法は何か」だからです。

●「説明が難しい」「読みづらい」と感じたらほかの方法を

文章だけで表現しようとするクセがついていると、どんなときにほかの表現方法を使えばいいのかわからないかもしれません。そんな人は「説明がしづらい」とか「長ったらしくて読みにくい」と感じるところをチェックしてみましょう。そこはきっと、ほか

の表現方法を使ったほうがいいところです。

　たとえば、以下のような情報は、表にするのが一番わかりやすいといえます。

例

▼文章だけで書いた場合
小学生、中学生、高校生の平均お小遣い額は以下の通りです。

■小学1・2年生
・年収300万円未満→1,450円
・年収300〜500万円未満→844円
・年収500〜750万円未満→930円
・年収750〜1,000万円未満→471円
・年収1,000〜1,200万円未満→1,000円
・年収1,200万円以上→750円
・全体→893円
■小学3・4年生
・年収300万円未満→1,188円
・年収300〜500万円未満→873円
・年収500〜750万円未満→1,005円
・年収750〜1,000万円未満→475円
・年収1,000〜1,200万円未満→467円
・年収1,200万円以上→1,000円
・全体→975円
■小学5・6年生
・年収300万円未満→1,311円
・年収300〜500万円未満→1,052円
・年収500〜750万円未満→1,305円
・年収750〜1,000万円未満→1,062円

- ・年収1,000〜1,200万円未満→729円
- ・年収1,200万円以上→1,060円
- ・全体→1,121円
- ■中学生
- ・年収300万円未満→3,204円
- ・年収300〜500万円未満→2,263円
- ・年収500〜750万円未満→2,435円
- ・年収750〜1,000万円未満→5,117円
- ・年収1,000〜1,200万円未満→2,056円
- ・年収1,200万円以上→2,571円
- ・全体→2,783円
- ■高校生
- ・年収300万円未満→5,544円
- ・年収300〜500万円未満→5,104円
- ・年収500〜750万円未満→5,386円
- ・年収750〜1,000万円未満→5,708円
- ・年収1,000〜1,200万円未満→4,500円
- ・年収1,200万円以上→5,455円
- ・全体→5,337円

STEP1 商品力を磨こう：ライターにとっての商品である「原稿」の質を上げるには

同じ内容を表にまとめてみると、次ページのようになります

▼前ページの内容を、表にした場合

小学生、中学生、高校生の平均お小遣い額は以下の通りです。

年間収入別	小学1・2年	小学3・4年	小学5・6年	中学生	高校生
300万円未満	1,450	1,188	1,311	3,204	5,544
300〜500万円未満	844	873	1,052	2,263	5,104
500〜750万円未満	930	1,005	1,305	2,435	5,386
750〜1,000万円未満	471	475	1,062	5,117	5,708
1,000〜1,200万円未満	1,000	467	729	2,056	4,500
1,200万円以上	750	1,000	1,060	2,571	5,455
全体	893	975	1,121	2,783	5,337

※ 金融広報中央委員会「家計の金融行動に関する世論調査」〔二人以上世帯調査〕（2013年/平成25年）より

※出典：ノマド的節約術より「小学生・中学生の平均お小遣い金額とは？　教育学を学んだ母のお小遣いの決め方」

　違いは一目瞭然ですね。ただ、文章以外の表現方法となると、ライター側で用意するのが難しい場合もあります。そんなときはクライアントに相談しましょう。

●図や画像を用意できなければクライアントに相談しよう

　「クライアントに手間をかけさせるのが申し訳ない」なんて思っていてはいけません。質の高い記事を作りたいのはクライアントも同じです。無理やり文章で表現してわかりにくい記事になるより、少し手間をかけてでも質の高い記事になったほうがいいですよね。

　予算の都合もあるので、なんでもできるわけではありませんが、それは相談した上で、クライアントに判断してもらえばいい

ことです。

　ライター側で用意できるものに関しては用意してもいいですが、その際には別途報酬の交渉もしておくことをお忘れなく。

▼ライターが用意できるもの

・自分で撮影が可能な画像

・Word等で作成する簡単な図やグラフ

・表

・ごく簡単な動画撮影

▼クライアントに相談するもの

・撮影できない画像（撮影不可の施設や遠方など）

・自分のスキルでは手に負えない図やグラフ

・自分のスキルでは手に負えない動画の撮影・編集

ワンポイント

　表については、Excel などで作成したものをキャプチャして画像として掲載することもできますが、それでは検索エンジンには画像としか認識されないため、SEO の効果は落ちます。そのため、HTML の table タグを使って表を作るのがオススメです。なお、Excel の表を簡単に table に変換するツールもあります。

参考：エクセルシートを HTML テーブルに変換しちゃう君（ββ）http://styleme.jp/tool/xls2html/

3-18 たった1人のために書く

●「みんなに読まれたい原稿」は誰にも読まれない

Webの世界では、PVやシェア数が重要視されます。クライアントから、PVやシェア数が伸びるような記事を求められることもあるでしょう。しかし、「たくさんの人に読まれたい！」と思って書いた原稿は、かえってほとんど読まれないことが多いのです。

それは、読者が「自分に関係ありそうだから読んだほうがいいかも」と思わないからです。詳しくは後述しますが、多くの人に読まれようと万人向けに書かれた記事は、無難な内容になりがちで、それでは興味がわきづらいのです。

万人向けの記事でも、タイトルで煽ればアクセスは増えるかもしれません。でも中身が伴っていないと読者はがっかりします。最後まで読みたいとは思えませんし、当然シェアしたいとも思ってもらえません。さらに、「この記事は面白くない」と思われると、そのメディア全体の印象も悪くなってしまう可能性もあります。

たくさんの人に読まれる記事を書きたかったら、「万人向け」に書くのではなく、「1人の読者」の顔をありありと思い浮かべて書きましょう。「この1人のために書く」ぐらいに思い切ってしまってよいのです。

●「ターゲット」ではなくたった1人の「ペルソナ」

Webライティングの依頼では、たとえば「育児中の30代女性」のように、「想定読者はこういう人です」といった指示をもらうことも多いと思います。

しかし、漠然と「子供がいる30代の女性に向けて書こう」というだけでは、まだ範囲が広すぎます。思い切って、もっと絞り込みましょう。マーケティング用語で「ペルソナ」という言葉がありますが、まさにそれです。

> ペルソナ（マーケティング用語）とは、ざっくりとした属性だけでなくライフスタイルや性格なども細かく設定した「架空の人物」のこと。架空の人物を設定した上で、その人物を想定しながら商品開発などをおこなうことをペルソナマーケティングと言います。

与えられたテーマに関して、「どんな人に読んでほしいのか？」をじっくり考えて、その情報を届けたい相手を具体的に想像してみてください。ペルソナとは架空の人物のことですが、実在の人物でもかまいません。

「友達の○○ちゃんが知りたそうな情報だな」と思ったら、彼女が興味を持ってくれそうな書き出しや、彼女にとってわかりやすい表現を意識します。

また、ペルソナにするのは「自分」でもかまいません。自分自身が「こんな情報ほしかったんだよね」と思うテーマなら、その情報について知る前の「過去の自分」に向けて書いてもよいでしょう。

NG

育児中
30代女性

漠然としていて、原稿の
内容もぼやける

GOOD

友達の○○ちゃん
3才の子どもと1才の子ども
元保育士　　　美容大好き

映画は
洋画派

平日は
ワンオペ
育児

リアルな人物像に
合わせて書くと内容も
明確でリアルになる

● 1人のために書いた記事が大勢に読まれる理由

　具体的な読者像を思い描いて書かれた原稿は、内容も具体的になるので、わかりやすくなります。一方、万人向けに書く場合は、いろいろな人を想定することになるため、どうしても「Aという場合もあればBということもある」のようなあいまいな書き方が多くなります。

　ペルソナをはっきり意識して書いた記事は、ペルソナに似たタイプの人が読むと「まさにわたしのことだ！」「この記事わかりやすい！」と感じるのです。

　それだけではありません。無関係の人でも、ペルソナが明確になっている記事は拡散されます。たとえば「育児中の○○ちゃんに読ませたい」と思って書かれた記事でも、「うちの奥さんに読ませたい」とか「ママ友に教えてあげよう」とか、周りの人も巻き込んでいくのです。

　万人ウケを狙うと誰にでも当てはまりそうなことしか書けませんし、すでにどこかで見たような、没個性的な原稿にしかなりません。思い切って「たった1人のために書く」を実践してみましょう。

3-19 集中力を維持するための やることリスト

3章
STEP1　商品力を磨こう：ライターにとっての商品である「原稿」の質を上げるには

●集中力が続かない・だらだらしてしまうのはみんな同じ

　集中力が長く続かないとか、そもそも仕事に取り掛かるまでに時間がかかってしまう…というのはよくある悩みです。この悩みに限っては、稼いでいる・稼いでないを問わず、どんなライターさんにでもあることです。ただ稼いでいるライターさんが違うのは、どうすれば集中できるのかを試行錯誤し、自分に合ったやり方を見つけているという点。

　ここではわたし自身が実践している方法を紹介しますので、よければ参考にしてみてください。

・短時間で複数の仕事をスイッチする

・時間を区切ってやる

・とりあえず手を付ける

・途中でやめる

◉短時間で複数の仕事をスイッチする

　わたしはマルチタスクタイプです。ただ、マルチタスクというのは複数のことを同時にできるというよりも、複数のタスク間を行っ

135

たり来たりしながら進めているというほうがしっくりきます。

　飽き性なので、「飽きたな」と思えば気分転換に別の作業に取り掛かり、それも飽きたらまた次……というのを繰り返しています。飽きたら気分転換したくなるものですが、ゲームをしたり遊びに行ったりしなくても「執筆に飽きたら画像編集」のように内容が大きく変われば、十分気分転換になります。

◉ 時間を区切ってやる

　「この仕事が終わったら食事にしよう」ではなく、「〇時には食事にしたいからそれまでに終わらせよう」と考える方法です。

　「ポモドーロテクニック」という、25分ごとに5分休憩することで長時間の集中を保つ方法もあります。

　わたしは25分と決めてしまうよりも、そのときの状況に応じて「そろそろ夕食の準備をしないといけないからそれまでにこれだけはやってしまおう」といった具合に、時間を区切っています。

◉ とりあえず手を付ける

　「今から3千文字の原稿1本やるぞ！」と思うと面倒くさくなってしまいますが、「とりあえずリード文だけ書いてしまおう」とか「とりあえず仮タイトルだけ書いておこう」ぐらいのところまでハードルを下げると取り掛かりやすくなります。不思議なもので、手を動かし始めると気分が乗ってきてそのまま1本完成させてしまうことも珍しくありません。

　心理学では「生理的覚醒による優勢反応の強化」という言葉があるそうです。「仕事をやらなきゃ！でも面倒くさいな」という場面で気合いを入れると、「面倒くさいな」の気持ちが勝ってしまい、ますますやる気がなくなってしまうのだとか。

　この対策としても、気合いを入れるのではなく「とりあえずこれだけ」という感覚で取り組むのが有効なのだそうです。

参考：マンガで分かる心療内科・精神科 in 渋谷第50回「気合いを入れるほど、うつは悪化する！？」(https://yusb.net/man/611.html)

◉ 途中でやめる

　わたしは仕事を中途半端なところでやめることを意識しています。全部やりきってしまうと、次に仕事を再開するときにはまた1からのスタートになります。しかし、やりかけの仕事を再開するのであればハードルは低いです。

　ただ、休憩を挟むことで考えていたことを忘れてしまう場合もあるのでいつでも使えるわけではありませんが、「とりあえず書き上げて、推敲は明日の朝」といったぐらいの「途中でやめる」方法はオススメです。

●集中力を高める方法はなんでも試してみよう

　集中力を高める方法は世の中にたくさんあります。それだけ苦労している人が多いのでしょうね。だから、「自分はダメだ」なんて思う必要はありません。

ただ、そのままでいいとも言えませんので、いろんな方法を試しながら、自分に合ったやり方を見つけましょう。

　前述の通り、わたしは飽きっぽい性格なので集中力も無いほうです。でも、自分に合った方法を試行錯誤しているうちに集中力をコントロールできるようになりました。だからこそ、自分に合った方法を見つければ誰でも集中力は高められると信じています。

どうしても集中できない……。そんなときは、思い切って寝てしまうのも手です。睡眠不足では脳の働きが悪くなり作業効率も低下します。睡眠不足以外に、栄養不足や運動不足なども集中力低下の原因になりますから、健康に気を遣うことも忘れないでくださいね。

第 4 章

STEP 2
自分に合った仕事を選ぼう：
受けるべき仕事・
避けるべき仕事を
判断する基準とは

　どれだけ優れたライターでも、仕事の選び方を間違えると思うように稼げません。Webライターとして収入を得るには、受けるべき仕事と避けるべき仕事を判断する力も必要なのです。この章では、仕事選びに必要な知識や考え方を紹介します。

4-1 好き！と思える人と仕事をする

●仕事をする相手との相性は大事

よく「どんな仕事を選べば稼げるようになるのか」といった趣旨の質問をされます。わたしも今までさんざん考えてきましたが、やはり、一番大事なのは相手の人柄だと思います。

「こういうジャンルは稼げる」とか「こういう交渉の仕方をすると成功しやすい」といったノウハウはたしかにあります。でも、いくら稼げるジャンルでも、いくら交渉術を学んでいても、結局は「自分が好きと思える相手」と仕事をするのが一番です。

4-4「「仕事内容」と「報酬金額」どちらを優先して選ぶべきか」でも触れますが、わたしはクライアントが信頼できるかどうかを一番重視しています。そして取り引きが始まってからは「その人を好きだと思えるかどうか」を見ています。

●「好き！」と思えるクライアントの特徴を考えてみよう

取り引きをする中で「この人好き！」「この人のためにがんばろう！」と思える瞬間があります。そういったクライアントは割合としては少ないのですが、わたしが長くお付き合いしてきたクライアントは全員、わたしが「この人が好き！」と思った人です。

・依頼内容が明確でわかりやすい

・レスポンスが早い

・フィードバックが丁寧

・メールに雑談的な内容が入る

　特徴をまとめるとこんな感じです。「依頼内容が明確でわかりやすい」「レスポンスが早い」などは一般的に信頼できるクライアントの例ですね。

　一方、「メールに雑談的な内容が入る」というのは個人的な相性の問題かもしれません。クラウドソーシング経由で依頼される場合は特に、直接会うことがないまま取り引きすることになります。だからこそ、ちょっとした雑談が入るほうが親近感がわきやすく、こちらもいろいろと相談しやすい気がするのです。

　やり取りを続けるうちに「この人好きだなぁ」「この人のためにがんばりたいなぁ」と思える相手と仕事をしているとこちらも気持ちの入り方が変わります。すると成果物の質も上がり、クライアントにもこちらを信頼してもらえて、好循環が生まれます。

　これまでに取り引きしたクライアントの中で好感が持てると感じた人を思い出し、その共通点を探ってみると、今後の仕事選び（クライアント選び）に役立つのではないでしょうか。

4-2 記事はチームで作るもの

● 1人で作っているつもりになってはダメ

　Webライターをしていると、1人で記事を作っているかのような錯覚に陥りがちです。でもそれは「錯覚」で、本当は複数の人間が関わって、「チーム」で記事を作っています。

　Web媒体であれば、まずそのメディアの運営者（運営会社）がいます。そのメディアのデザイナーやエンジニアがいます。関わる人間の数や種類はメディアごとに異なりますが、ほかにも編集者やディレクター、スポンサーなど、さまざまな人が関わって、そのメディアが運営されています。

　ライターが「すべての責任は自分にある」と思うのも、「これは自分の作品だから口を出してほしくない」と思うのも、どちらも間違っているのではないでしょうか。

●「一緒にいいものを作る」という意識を持とう

　ライターさんの中には、赤を入れられることを嫌がったり、恐れたりする人がいます。

　戻ってきた赤入りの原稿を見てへこんだり、自分を責めたり。もしくは、「自分がいいと思った表現を変えられるのが嫌だ」とい

う人もいます。

　しかし前述の通り、メディアというのは複数の人が関わって作り上げているものであって、ライター1人で作っているものではありません。もし「自分が書いたものを自由に発信したい」と思うのであれば、それはブログなど個人のメディアでやればいいこと。

　ライターとして依頼を受けて書いたものは、クライアント含め、そのメディアに関わる「全員」と一緒に記事を作っているという意識を持たなければなりません。

　また、赤を入れられて落ち込むというのも、場合によっては問題です。「赤を入れる」という言葉が「採点」を連想させるのかもしれませんが、原稿に赤を入れる行為はライターにダメ出しをするためのものではありません。原稿をより良くするための行為です。

　自分の力不足を嘆くことはあってもいいですが、修正を恐れるのではなく、「意見をもらってより良い原稿を作るための行程の1つ」と発想を変えてみてください。

●Webライターは自分の仕事を線引きしよう

　「記事はチームで作るもの」と言いましたが、Webメディアの場合は、クライアントがライターに丸投げするケースも珍しくありません。ネタ出しから取材、撮影、WordPressへの投稿まで、すべてライターがおこない、クライアントからのフィードバックも

無いというメディアもかなり多いです。

　特に報酬金額が低いメディアでよくあるパターンで、記事作成に手間暇をかけないから儲からない、儲からないから安い原稿料しか払えない、という悪循環に陥っているようにも見えます。編集者不在のメディアも珍しくありません。

　4-8「クライアント側にも『初心者』がいる」にもあるように、初心者ゆえにどこまでライターに頼んでいいのかわかっていないクライアントもいます。

　だからこそ、**ライターが自分の仕事を線引きすることも重要**です。「わたしの仕事はここまでです」と線引きするということですね。そして、それ以上の作業を要求される場合は報酬の交渉をすべきでしょう。

　どこまでをライターの仕事とするのかはライターごとにも、メディアごとにも異なります。参考までにわたしの場合は「報酬が

見合っているか」「楽しんでできるか」という基準で決めています。自分が楽しめない（得意でない）作業を無理に引き受けてもパフォーマンスが下がりますし、クライアントも「できない人に無理やり任せたい」とは思っていないはずですよね。

　断りたい作業があるときは「○○のような作業は得意ではないので、わたしが引き受けたとしてもあまり良いものにはならないと思います。ほかにできる人がいなければやりますが、ほかに頼める方がいらっしゃるならそちらのほうがいいと思います」のように伝えています。

　本来、記事はチームで作るもの。だからこそ、ライターが1人で抱え込むことも、1人で作っているんだという思い込みも、早めに捨ててしまいましょう。

4-3 高額報酬・高倍率の仕事を受注する方法

●高額案件は魅力的だけど倍率も高くて受注しにくい

　報酬金額はもちろん高いほうがいいですが、高額案件は倍率も高くなりがちです。実績豊富なライターのほうが選ばれやすいため、実績が少ないライターにとっては、どうしても受注できるチャンスが少なくなってしまいます。

　高額案件を受注するには「実績を作ること」が必要です。高額案件にこだわるあまり受注できる仕事が少ないと、実績もなかなか積み上がりません。それよりも、低額案件でも積極的に受注して実績を作るほうがいいのではないでしょうか。ただしその前に、「実績」とは何なのか考えてみる必要があります。

●高単価案件を受注するために必要な「実績」とは

　一言で「実績」と言っても、さまざまな意味があります。

・ライターとしての実績

・そのジャンルに関する実績

・クラウドソーシング上の実績

「実績」の3つの視点

そのジャンルに関する実績	ライターとしての実績	クラウドソーシング上の実績
美容系なら「エステティシャン」「新しい化粧品を試すのが好き」など	ライター歴 これまでの掲載サイト 連載経験など	受注件数 クライアントからの評価 など

　3つのうち「ライターとしての実績」を気にする人は多いのですが、ほかの2つをおろそかにしていないでしょうか。

　まず「そのジャンルに関する実績」ですが、ライターとして経験豊富な人でも、対象のジャンルに関する知見が無ければ、高額案件への応募は躊躇するはずです。報酬金額だけにつられず、「本当に自分が書けるテーマなのか」ということをしっかり吟味してください。報酬金額につられて自分には書けないようなテーマで受注してしまった場合、次で紹介する「クラウドソーシング上の実績」に悪影響を及ぼします。

　「クラウドソーシング上の実績」も重要です。クラウドソーシングのメリットは、サービス内で実績が「見える化」されることです。今までどんな案件を受注したのか、クライアントからの評価は高いか、といったことが一目瞭然になります。前述の通り、経験や実績の無いジャンルの仕事を受注してうまく書けなかった場

合、悪い評価が付く恐れもあるので気を付けてくださいね。

　つまり、どれだけライター経験が豊富でも、クラウドソーシングに登録したばかりで実績がゼロだと、「この人は信用できるのか？」「クラウドソーシングの使い方に慣れていないだろうから手続きに手間取るんじゃないだろうか」などと心配される可能性がある、ということです。

　実績が少ないうちは、報酬金額にこだわりすぎずにとにかく実績を増やすため、報酬金額が低い仕事もやってみるのがオススメです。ちなみに、一度に100記事など分量が多いプロジェクトよりも、数記事程度の小規模なプロジェクトをたくさん受けたほうが早く実績が貯まります。

●そのジャンルに関する実績があるならチャレンジしよう

　募集されているジャンルに関する実績があれば、ほかの実績が不足していても、高額案件にチャレンジする価値はあります。なぜなら、知見がある人の原稿をきれいにリライトすることはできても、きれいな原稿に知見を足すことはできないからです。

釣り名人
稚拙だけど専門性が高い

プロのライターでも専門外
上手だけど専門性が低い

プロの編集
専門性が高く読みやすい

上手だけど専門性が低いありきたりな記事

　クライアントも、「多少拙くてもいいから専門知識がある人に書いてもらいたい」と思っているものなので、そのジャンルに関する実績があって書いてみたいと思うなら、ぜひチャレンジしてください。

●実績不足のうちは低額案件も取り入れよう

　ライターとしての実績やクラウドソーシング上での実績が少ないうちは、低額案件で受注数を上げ、実績作りに励むほうが結果的には近道です。

　ライターとしての実績が少ないうちは高額案件が受注しづらいですし、受注できたとしても、スキル不足が原因でクライアントの期待値を超えられず、1回限りの取り引きで終わってしまう可能性があります。

クラウドソーシング上の実績が少ないうちは、高額案件のプロジェクトでは選ばれにくいので、まずは実績数を増やすのに注力するほうが、のちのち効率的に高額案件を受注できるようになります。

　もちろん高額報酬で魅力的な案件があれば、まだ実績が足りなくても応募するのはいいんです。ただ、高額案件に絞ってしまうと受注できる仕事量自体が少なく収入は増えませんし、仕事量が少ないと経験を積むチャンスも少なくなってしまいます。低額案件でも自分にできそうな仕事があればどんどんチャレンジしましょう。そのほうが早く実績が伴い、高額案件へステップアップもしやすくなるはずです。

低額案件は、「報酬は安いけれど内容が簡単なのですぐにできる」のが特徴です。報酬は安いのに仕事内容が難しくて時間がかかる「搾取案件」のことではありませんので注意してくださいね。

「仕事内容」と「報酬金額」どちらを優先して選ぶべきか

●仕事は報酬金額ではなく「内容」で選ぶべき

よく「お金はあとからついてくる」と言われますよね。わたし自身もはじめは「それは理想であって、現実には難しいのでは？」と思っていました。

しかし、改めて振り返ってみると、わたしはライターになった当初からずっと、報酬金額よりも仕事内容を重視してきました。そして、本当にお金はついてきたのです。

「仕事内容」を重視と言っても、報酬金額はどうでもいいというわけではなく、バランスが重要なのです。では実際にどのようなバランスで優先させるといいのか、ポイントを紹介します。

●クラウドソーシング上で仕事を選ぶときに見るポイント

クラウドソーシングで仕事を探すとき、わたしは以下の流れで応募する案件を選んでいました。

❶パッと見で「できそう」と感じたものを見る

まず仕事一覧をざっと見渡したとき、「できそうかな？」と思ったときだけ詳細ページを開きます。

❷依頼詳細をざっくりと確認する

依頼詳細に記載されている仕事内容をざっと読んで、それでも「できそうかも」と思えるようであれば次へ進みます。

❸クライアント情報をチェックする

今度は発注者のプロフィールページに移動し、信頼できるかどうかの確認をします。（4-6「悪質なクライアントを見分ける方法」参照）

❹依頼詳細を精読して判断する

クライアント情報にも問題がなければ、もう一度依頼詳細ページに戻り、今度はしっかりと目を通します。依頼内容がきちんと理解できて、納期にも問題がないようであれば、そこで初めて報酬金額を確認します。

●仕事内容とクライアントとの相性を重視

このように、報酬金額を確認するのは最後です。経験上、依頼詳細がわかりやすく、発注者が信頼できそうな人であれば、報酬金額も安すぎるということはありません。

いくら報酬金額が高くても、依頼詳細の記載がわかりにくければ取り引き中の意思疎通にも苦労することが予想されますし、クライアントの信頼性に不安がある場合はトラブルになることも考えられます。たとえしっかりしたクライアントであっても、気が合う・合わないといった相性の問題もあります。

また、自分が興味を持って取り組める仕事を選んだほうが情報

収集も楽しんでできて、やりがいも感じやすいはずですよね。

　わたしがクラウドソーシングを始めたとき、中には文字単価が1円未満の案件もありましたが、一度取り引きをして気に入ってもらえれば、その後は単価が上がっていくことがほとんどでした。

　報酬金額や文字単価重視で選んでしまうと、興味が持てないジャンルだったり、気が合わないクライアントと取り引きをすることによりストレスが溜まったりといったこともあります。

　とは言え、仕事が少ないうちは仕事内容だけを重視していても十分な収入が確保できないこともあります。生活がかかっている場合は、生活できるだけの収入は稼がなくてはならないので、「やりたい仕事ではないけれど単価は高い」というような仕事も受けていく必要があるでしょう。仕事内容を重視しつつ、生活費の不足分を補うために報酬金額重視の案件も持っておく……ぐらいのバランスを意識して仕事を選んでいくといいでしょう。

ワンポイント

「やりたい仕事ではない」と言っても、できない仕事を受けるという意味ではありません。「やりたいジャンルではないけど書ける」など、あくまでも「できる仕事」であることが前提です。

画像選定、どのあたりから料金上乗せを交渉するべきか

●画像選定って、そもそもライターの仕事？

　Webライティングの仕事を始めたころ、依頼される内容は「テキストのみ」の仕事ばかりでした。ある日「記事に付ける画像も用意してください」との依頼を受け、「え？画像もライターが用意するものなの？」と疑問に思いました。

　「ライター」と言っても仕事内容はさまざまで、文章だけを納品する仕事もあれば、画像も用意して編集し、「すぐに掲載できるレベルの状態」で納品する仕事もあります。

　だから、ライターが画像を用意すべきかどうか、というのは「仕事内容による」し、「報酬による」とも言えます。

　原稿料として十分すぎるぐらいの報酬が提示されている場合は、進んで画像をつけることもあります。しかしWebライターとして働き始めたころのわたしの報酬は文字単価1円未満だったので、「この報酬で画像まで用意するの？」と疑問に思ったのは無理ないな、と今でも思います。

●画像選定は「おまけ」ではない！報酬の上乗せが必要

クライアントによっては、契約が成立してから「あ、画像もお願いします。フリー素材のものでかまわないので」のように言ってくることもあります。

しかし、画像選定は「おまけ」としてついでにできるような仕事ではありません。撮影するとなればカメラが必要になりますし、フリー素材サイトから選ぶにしても時間はかかります。画像選定も含まれるのであれば、必ずその分の報酬を請求しましょう。

画像選定のある仕事を受けるようになったころ、わたしは「1枚200円（税別）」という料金を設定していました。これでもかなり安いと思いますが、「画像を選んでもらうのにもお金がかかる」ということは知ってもらえたため、あまり無茶な依頼は来にくくなりました。

金額は自分が納得できる金額を提示すればいいのですが、慣れないうちは目安として、以下のように設定してもいいでしょう。

◉ **画像1枚を選ぶのにかかる分数×1分あたりの時間給**

たとえば……

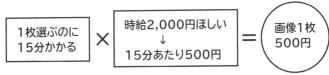

●料金設定に自信が無いなら「やってみてから相談」

　画像の準備にかかる手間暇は、記事のテーマや使用する画像によっても変わります。「いくらぐらいが適正なのかわからない」と迷うことのほうが多いですよね。

　料金設定に迷うのであれば、その旨も併せて伝えましょう。

> **例**
>
> 基本的には画像1枚あたり○円（税別）を頂戴しております。ただやってみて時間がかかりすぎる・労力がかかりすぎると感じた場合はまた相談させていただくかもしれません。もちろん、もらいすぎていると感じたら値下げもいたします。それでもよろしいでしょうか？

　このように伝えておくことでクライアント側も納得できますし、ライター側も「今後ずっとこの金額でやらなくてはならない」というプレッシャーがなくなります。

　ちなみに、「やってみてから再度相談」という方法は画像選定だけに限りません。原稿料自体も、経験の少ない案件であれば「初回の納品が終わってから再度相談」というやり方が使えます。

4-6 悪質なクライアントを見分ける方法

●関わる前に見抜く方法はある

「対応が悪い」「報酬が振り込まれない」「ちゃんと仕事をしたのにクレームをつけてくる」など、関わりたくない悪質なクライアントは存在します。

しかし一方でライター側に問題があるケースも少なくありません。

クラウドソーシングには悪質な仕事（クライアント）が多いと批判されることがありますが、そんなことはありません。悪質なクライアントというのはどこにでもいるもの。クラウドソーシングでは実績や評価が可視化されるため、悪質なクライアントも可視化されやすいだけだとわたしは考えています。

可視化されていることで、悪質な案件（クライアント）を避けることができるのは、クラウドソーシングのメリットとも言えます。

実生活や本業でも、「この人とは関わらないほうがいいな」と思えば距離を置きますし、わざわざ自分から仕事をもらいにいくことはないはず。クラウドソーシングでも、相手が悪質なクライアントだとわかればわざわざ応募してしまうことはないはずですよね。

ところが、クラウドソーシングでは、悪質な案件（クライアント）に自ら応募してしまうライターさんも多いです。

たしかに、クラウドソーシング上のやり取りでクライアントの性格まで見抜くのは難しいかもしれませんが、それでも見抜く方法はあります。

●トラブルを避けるために見るべきポイント

クラウドソーシングで仕事を探す際に、以下のポイントをチェックすれば、取り引きしないほうがいいクライアントを高確率で避けられます。

◉依頼内容がわかりやすいか

依頼内容がわかりづらいのは、「自分にとって難しすぎる案件」もしくは「クライアントが説明下手」のどちらかです。説明が上手でないクライアントの場合は「こちらが丁寧にヒアリングすればいいだろう」と考えてしまいがちですが、いくら丁寧にヒアリングをしても要領を得ない答えしか返ってこないこともあります。基本的には避けたほうが無難です。

◉プロフィールページの概要

依頼詳細画面からクライアントのプロフィールページに移動し、以下の点を見てみましょう。

❶自己紹介

空白になっているのは論外。丁寧に記載されているほうがいいです。

❷プロフィール画像が設定されているか

必須ではないがあるとベター。顔写真がベストです。

❸実績数

ここがゼロだとクラウドソーシングの使い方を知らない人の場合があり、手続きが難航する可能性があります。また、「トラブルを起こしてアカウントを作り直した可能性」もあるので、概要などほかの項目も確認して見極めましょう。

❹評価の高さと受注者からのコメント

直近の取り引きだけではなく、2ページ目ぐらいまでは見てみることをオススメします。評価が4以下の場合は極端に悪い評価が混ざっていることもあるので、その評価コメントは必ず確認し、過去にトラブルがなかったか調べましょう。

❺更新日

実績のあるクライアントでも、しばらく放置しているアカウントの場合は情報が古くなっています。法人アカウントの場合は担当者が変わっている可能性も高いので、いくら良い評価が並んでいても信頼できるとは限りません。

❻認証状況

本人確認書類の提出や電話確認、機密保持確認などの認証が済んでいる人のほうが安心です。

❼悪い評価コメントを書いている受注者のプロフィール

もし評価コメントで悪評価をしている受注者がいたら、その受注者のプロフィールページも確認しましょう。「ほかの受注者は高評価を付けているのに１つだけ悪い評価」といったケースだと、クライアントに非はなく、受注者側がトラブルを起こして逆恨みで悪い評価をつけた可能性もあります。

●相手の名前をググってみるのもオススメ

クライアントの氏名や企業名を検索してみると、何か情報が得られることもあります。プロフィールページだけで判断しかねる場合は検索してみてもいいでしょう。

それでも「信用できるかわからない」と感じる場合は、その案件は避けたほうが無難です。ライター自身の経験が増えてくれば判断の精度も上がってきますが、慣れないうちはなるべく安全で誠実そうなクライアントを探しましょう。

●報酬に目がくらむと失敗しやすい

クラウドソーシング上には、素晴らしいクライアントもたくさんいます。わたしもはじめのころはランサーズを通しての受注が100％でしたが、問題のあるクライアントはほとんどいませんでした。大きなトラブルに巻き込まれたことは1回もありません。

周りの人のトラブル事例を聞いてみると、たいていは「報酬金額の大きさに目がくらんだせいで、相手がどんな人かをチェックしていなかった」という共通点があります。

たとえ金額が大きくても、そのお金が支払われなければ意味がありませんし、悪い評価を付けられて今後の活動がしづらくなってしまっても困りますよね。

提示されている金額が大きいとそれだけで飛びつきたくなる気持ちはわかりますが、そんなときほど、慎重にチェックしてから応募するほうがいいですよ。

4-7 大企業と個人・中小企業、オススメのクライアントは？

●クライアントは個人から法人までさまざま

「大企業のほうがしっかりしてそう」など、なんとなくイメージでクライアントを選んでいないでしょうか？わたし自身がこれまで取り引きしてきたクライアントは個人から大企業までさまざまですが、「大企業がいい」とは一概に言えません。

●大企業のメリットは安心感

大企業、特に広く名前が知られているような有名企業であれば、それだけで「しっかりしていそう」といった安心感があると思います。有名企業との取り引き実績があればハクがつくというメリットもあるでしょう。

もちろん感覚的なものだけでなく、発注慣れしていて取り引きがスムーズだとか、担当者以外にもプロジェクトに関わる人が複数いるため「担当者が急に退職した」といったことがあってもスムーズに引き継ぎされるといったメリットがありますね。また、大企業のほうが大きい予算がつきやすいのもメリットだと言えます。

一方で、大企業のデメリットは融通が利かない点。報酬もあらかじめ決まった予算の範囲内でしか対応してもらえず、単価交渉

をしても上がらなかったり、すごく時間がかかる、といったことがあります。

さらに、大企業が大きな予算をもって動かすプロジェクトでも、大量のライターを使っていれば1人あたりの金額は小さくなってしまいます。また大企業であっても、悪質な案件はあります。過去には、大企業が大量のライターを使った案件で、質の低い記事が量産され挙句の果てには健康被害にまで発展した事件（通称WELQ問題）もありました。大量のライターを使うために作られたマニュアルも、コピペ・無断盗用を推奨するような内容でした。チェック体制も機能しておらず、結果として質の低い記事が量産されていました。

いくら大企業で大きな予算を持っていても、関わる人間が多ければ1人あたりにかけられる人件費は少なくなりますから、今後もこのような問題が起こる可能性はゼロではありません。

●中小企業・個人クライアントは融通が利く

クライアントの規模が小さいほど、融通が利きやすく、レスポンスも早い傾向があります。

小規模クライアントはプロジェクトに関わる人数自体が少ないので「担当者＝責任者」というケースも珍しくありません。担当者が決裁権を持っていれば、単価交渉も担当者とやり取りするだけで話が進みます。

大企業のように「上司に相談してみます」とか「稟議が通った

らご連絡します」といったやり取りが無いのは小規模クライアントのメリットでしょう。

一方で、個人のクライアントでは特に、その**クライアント自身に何かあれば、仕事が突然ストップするリスク**もあります。わたしも、クライアントのご家族が入院されるなどの事情で3か月間発注がこなくなったこともありました。

また、わたしは経験がありませんが、報酬の未払いが発生した場合も、個人相手の場合は**本人と連絡が取れなくなれば回収が厳しくなる**でしょう。

●大事なのは企業規模よりも「人」

結局、**仕事を受注する上で大事なのは、企業の規模よりも「人」**です。いくら大企業でも支払いを忘れられることはありますし、個人クライアントでも融通が利かずレスポンスの遅い人もいます。

大企業でも個人でも、普段のやり取りをする担当者が誠実できちんと仕事ができる人であれば大丈夫。「大企業だから安心だろう」「小規模だから融通を利かせてもらえるだろう」と企業規模だけで判断するのではなく、担当者が信頼できる人かどうかもきちんと見極めるのが大事なのです。

4-8 クライアント側にも『初心者』がいる

●未経験からライターにも発注者にもなれる時代

クラウドソーシングの普及により、まったくの未経験でもライターになれる時代になりました。わたしも、未経験からWebライティングの仕事を始めています。

同時に「発注経験が無くても手軽に発注できる」という変化をもたらしたのも、クラウドソーシングです。クラウドソーシングを使えば、人脈や経験を持たない人でも簡単に、さまざまな仕事を発注できます。

クラウドソーシングを使ったことがあるライターさんなら心当たりがあるのではないでしょうか。クラウドソーシングの使い方に不慣れで手続きに時間がかかるクライアント、相場感を理解しておらず低すぎる（高すぎる）金額で発注してくるクライアントなど……。

発注者側にも「初心者」がいるということを、つねに意識しておかなくてはなりません。

●「仕事をくれる人＝自分より上」という意識はダメ

　ライターは仕事を「請け負う」ことが多いわけですが、仕事を
くれる人（発注者）に対して「自分より上の人間」だという意識が
ないでしょうか？

　クライアントのほうが自分より上の立場、偉い人、といった意
識を持つのはオススメしません。立場としては対等であるはずだ
からです。

　本来は対等であるはずの関係性なのに、上下関係があると思い
込んでいると、言わなければならないことも言えなくなってしま
います。

　クライアントがクラウドソーシングの使い方に不慣れなようで
あれば、ライター側がリードして教えてあげる必要があります。

例

「プロジェクトが成立しましたので、『エスクロー入金』をお願
いいたします。エスクロー入金の確認後プロジェクトに着手
することとなります。」

「発注いただいておりました記事を納品します。ご確認いただ
き問題がなければ『支払い確定』の手続きをお願いいたしま
す」

　クラウドソーシングの使い方に慣れていないクライアントだ
と、プロジェクト成立後に何をすればいいのかを知らないため、
何のアクションも無いという場合もあります。ここで「どうして

エスクロー入金をしてくれないんだろう？」と不安を感じつつ待つだけではなく、きちんと次のアクションを案内できればスムーズに取り引きが終えられるはずです。

●依頼内容に対する疑問・間違いも指摘しよう

ライターへの発注経験が少ないクライアントの場合、依頼内容自体にも違和感を覚えることがあると思います。
たとえばこんな依頼を受けたとき、あなたはそのまま受け入れるでしょうか？

> **例**
> 「『カードローン』というキーワードで上位表示される記事を作成してください」

実際に検索してみるとわかりますが、「カードローン」というキーワードで検索したときに表示されるのは、ほとんどがカードローンを扱う銀行の公式サイトです。

そのまま引き受けて自分なりに書いたとしても、まず上位表示はされません。そのまま引き受けるのではなく、「『カードローン』というキーワード単体での上位表示は非常に難しい。なぜなら……」と、クライアントに説明するほうが親切ですよね。

たとえば「カードローン ○○」といった複合キーワードでのライティングを提案するのもいいでしょう。

なお、「カードローン」の場合はいくら複合キーワードにしても

激戦区であることに違いはないので、そのような場合はその依頼自体を受けない、という選択肢もあります。

　クライアントであることと自分よりも詳しいということは別なので、ときにはこちらが「プロのWebライター」としてアドバイスしたほうがいい場面もあります。特に発注経験の乏しいクライアント（4-6「悪質なクライアントを見分ける方法」参照）に遭遇した際には、ライター側がリードして進める、必要に応じてアドバイスする、といった対応もできるようになっておきましょう。

「クライアントには絶対に従わねば」という間違った認識をしていると、悪質なクライアントにあたったときにも倫理に反することや法を犯すことまでしてしまいかねません。対等な立場として、言うべきことは言える関係を目指しましょう。

保留したいときの切り出し方、断りたいときの断り方

●打ち合わせの中で勝手に話が進んでしまうとき

「まだ決定ではないけれど、とりあえず打ち合わせがしたい」といった問い合わせがくることがあります。「いい案件かもしれないから話だけでも聞いてみようかな？」と打ち合わせに応じたものの、いつのまにか本格的に話が進んでしまっている……。もう少し検討したいけど向こうは乗り気だから言い出せない。

こんなとき、どう対処するのが正解なのでしょうか？特にクラウドソーシングをメインに使っているライターさんの場合、「ふわっとした問い合わせから始まる案件」をどう断っていいのかわからない人が多いようです。

「向こうは乗り気だけど正直断りたい」「受けてもいいけどもうちょっと検討したい」という場合の対処法をお教えします。

●「ところで、」から話を整理しよう

対面の打ち合わせにしろ、Zoomやメールでの打ち合わせにしろ、いつのまにか依頼される前提で話が進んでいるときには、その流れを中断する必要があります。

話を中断して状況を整理するために使うのが「ところで」とい

う言葉です。

例

「ところで、ちょっとご確認よろしいでしょうか。
こちらの案件、お返事はいつまでにすればよろしいですか？」
「ところでこちらの案件、お返事は○日ごろになっても大丈夫
ですか？ほかの仕事との兼ね合いもありますので……」

こんな具合です。自分から「いや、正式に受けるとは言ってま
せんけど」と言い出しにくい方は、ぜひこの言い方を使ってみて
ください。

間接的に、クライアントに「あ、まだ正式に決まってないんだ」
と気づいてもらえる言い回しです。

ただし、断りたい場合は返事を先延ばしするのはお勧めしませ
ん。断るのであればクライアント側もほかのライターを探さなけ
ればなりませんので、なるべく早めにお断りの連絡をしましょ
う。たとえば電話やZoomでの打ち合わせが終わったあと、30分
後ぐらいには伝えておいたほうが親切ですね。もちろん本来は、
お断りは早ければ早いほどいいので、言えそうであれば打ち合わ
せ中に伝えましょう。

●ついでに確認したいことも聞いておこう

打ち合わせ中に断るなら、早めに「ところで」を使って話を切
り上げ、その後お断り……という流れがオススメです。また「す

ぐに断らず、もうちょっと検討したい」という場合は、「ところで」
のついでに確認したいことも聞いておきましょう。

> **例**
> 「報酬をお聞きしていなかったですが、ご予算はいくらぐらい
> でお考えですか？」
> 「納期のご希望はありますか？」
> 「取材費はどこまで出していただけるのでしょうか？」

　など。不明点を残したままでは検討しようがありませんし、モ
ヤモヤしたまま引き受けてもあとからがっかりしてしまうことに
なりかねません。
　とは言え、電話や対面での打ち合わせでは、話している途中に
疑問点が浮かばないこともあります。そういう場合は、「ところ
で」を使ってあとから返答することを伝えたら、疑問点を整理し
て、まとめてメール等で確認するようにしましょう。

募集内容と依頼内容が違っていたときの、確認と交渉のポイント

●稼げるライターは「言われるがまま」にならない

募集内容と、依頼成立後の詳細内容が違う、というトラブルがたまにあります。たとえば「美容系コラム」の依頼だったはずが「芸能系コラム」のようにまったく違う内容になっていることもあれば、「ダイエット全般だと聞いていたのに、特定のダイエット食品の広告記事だった」というように微妙に違うケースもあります。

そんなとき、あなたならどうしますか？

「まぁ芸能系でも書けるかな」と、そのまま引き受けますか？

稼げるライターは、必ずクライアントに確認を入れるものです。

●まずは間違いではないか、確認しよう

事前に聞かされていた内容と、依頼成立後に聞かされた内容が異なる場合、まずはクライアントに間違いではないか確認してください。

例

> こちらの案件、『○○に関する記事作成』として応募したと思うのですが、先ほど送っていただいた詳細には『△△』と記載されております。内容をお間違えではないでしょうか？
> https〜〜〜〜（※クラウドソーシングで受注した案件であればそのプロジェクト応募ページを添付）

　複数のプロジェクトを扱うクライアントの場合、本当に間違えていることもあります。間違いであれば本来の依頼内容を送ってもらえますので、必ず聞いてください。また、あとから送られた内容が正式で、依頼時の内容が間違いだった、というケースもあります。

●あとから聞かされた内容が「正式」だった場合の対処法

　間違いではなく、あとから聞かされた内容が正式な依頼内容だった場合、ライター側で「このまま引き受けるか」「断るか」の判断をしなければなりません。

　「クライアントに言われたことはちゃんとやらなきゃ」と考えてそのまま引き受けてしまうと、それでは「このライターは何を言ってもいい」と勘違いされてしまいます。

　内容を改めて確認した上で「これはこれで、引き受けてもいいかな」と思える場合は、その旨を伝えましょう。ただし、募集内容と依頼内容が異なるというのは本来ありえないことなので、その点はきちんと伝えてください。「なあなあ」にしてしまうと、今後

もいい加減な対応をされる恐れもあります。

例

本来は依頼内容が異なっているというのはあり得ないのでお断りすることも考えましたが、『△△』をテーマにした原稿も執筆可能ですので、今回はそのままお受けできればと思います。

（※スケジュールにゆとりがあれば）
募集時に案内されていた『○○』に関しても機会があれば書いてみたいと思っていますので、もしそういった案件があればお声がけください。

クライアント側も「失敗した」「失礼なことをしてしまった」という意識があるはずなので、本来希望していた案件の類似案件があれば紹介してくれる可能性もあります。スケジュールにゆとりがあるなら、こういった提案もしてみるといいでしょう。

●引き受けるけど金額の交渉はしたい場合

「引き受けることはできるけど金額はもうちょっと上げてほしい」という場合は交渉してみましょう。

例

（前の文例に続けて）ただし、はじめにご提示した料金はあくまでも「○○」に関する執筆が対象となります。「△△」であれば○円ほどいただきたいと考えているのですがいかがでしょうか？

正式な依頼内容のほうが難易度が高い・時間がかかるといった場合は、必ず交渉しましょう。

●間違い案件を断りたいときの「伝え方」

一方「この内容じゃ引き受けられないな」と判断した場合は、その案件を断らなくてはなりません。ただ、その場合は丁重に断るようにしてください。

場合によっては、「難易度が低い依頼で釣って、あとから難しい案件を低単価で押し付ける」など、悪意あるクライアントの可能性もあります。そんなクライアントなら誰でも断りたくなりますが、先方に非があるとしても、断り方次第では逆恨みされ、クラウドソーシング上でネガティブな評価を付けられるかもしれません。

次ページの例のように、<u>丁重に断りつつ、「断るのは募集内容と依頼内容が違うからですよ」という事実もさりげなく盛り込むと、納得してもらいやすいでしょう。</u>

> **例**
>
> いただいた内容を拝見しましたが、『△△』という内容はわたし自身の経験が浅く、できそうにありません。非常に申し訳ないのですが、今回は辞退させていただきたいと思います。「○○」に関する執筆であればお受けできますので、今後また機会がありましたらお声がけください。この度はご意向に沿えず申し訳ありませんでした。

お断りの連絡を入れたにも関わらずしつこく反論されたり、評価欄にネガティブなコメントを書かれたりした場合は、悪質ですので運営側に通報しましょう。

　募集内容と依頼内容が違うというトラブルは滅多にありませんが、もし遭遇してしまった場合は慌てず、事実確認をした上で引き受けるかどうかの判断をしてくださいね。

> トラブルが起こるとついパニックになりそのまま引き受けてしまう……という展開になりがちなのですが、どんなトラブルがあっても、まずは深呼吸。焦らず、落ち着いて対処していきましょう。

受注してから「これはグレーな内容なのでは」と思ったら

4-11 受注してから「これはグレーな内容なのでは」と思ったら

●受注後にグレーな案件だと発覚することもある

ライティング案件の中には、法的・道徳的に良くないものもあります。クラウドソーシングを使っていれば、運営側のチェック体制もあり違法な案件が放置されることは少ないですが、プロジェクトが成立してから「実はこんな内容です」と知らされた場合は運営側も気づけません。そんなとき、「でも受注した以上は書かないと！」なんて、思っていませんか？

受注後に依頼の詳細連絡を受け、その内容がグレーなものだったら……そのまま引き受ける必要はありません。

とは言え、どうしていいのかわからなくなることもあると思いますので、対処法を紹介します。

●クラウドソーシングで受注したなら通報機能を使おう

クラウドソーシングを通して受注した案件なら、通報機能が使えます。（「違反申告」「違反報告」など呼び方はサービスごとに違います）

犯罪行為を勧める内容や違法商品の紹介など、あきらかに「ブラック」な依頼であれば、すみやかに通報しましょう。通報すれ

177

ばクラウドソーシングのプラットフォーム側が対応してくれるので、その指示に従いましょう。

また、ブラックとまでは言えない、いわば「グレー」なものでも通報機能を使って大丈夫です。「よくわからないけど法的に良くないのではないか」、「法的には問題ないかもしれないけど、道徳的にどうなんだろう」と迷うような場合でも、通報機能は使えます。

●通報するかどうか迷ったときは問い合わせでもOK

通報するレベルではないと感じるようなら、サポート窓口に問い合わせる方法もあります。クラウドソーシング内には「よくある質問」が用意されていることが多いため、まずはそこで検索してみて、答えが見つからなければ問い合わせる、という流れでもかまいません。

自分で対処する場合はクライアントに直接「お断り」の連絡を入れることになりますが、そうするとプロジェクト完了率が下がってしまいます。また、クライアントから悪い評価を付けられる恐れもあります。だからこそ、1人で対処しようとせず、通報機能や問い合わせを利用するのがオススメです。

| ワンポイント

クラウドソーシングには、ユーザー同士で相談し合える「相談室」的なサービスもありますが、ここで扱っているような悩みで利用するのはオススメしません。「モチベーションの

保ち方」などを相談する分には役に立つと思いますが、法律が絡むようなケースでは、やはり専門家や公式な窓口に相談するほうがいいでしょう。

●違法とは言えないけど断りたいときのコツ

受注後に「この健康食品をオススメする記事を書いてほしい」と言われたけれど、自分はその健康食品に対して疑問を持っていて、オススメするような記事は書きたくない……。

その健康食品自体に違法性がないのであれば、断りにくいですよね。だからと言って、無理に書くこともしたくない。そのような場合は、自分で断るしかありません。

以下の例はクラウドソーシングで受注した案件を想定していますが、直接契約の仕事であっても伝え方は同じです。

例

○○さま
ご依頼内容の詳細を拝見しました。
大変申し訳ないのですが、わたしは●●という商品に対しては良い印象を持っていません。今回ご依頼をいただいたため改めて調べてみましたが、やはり、わたしにはこの商品をお勧めする記事を書くのは難しいです。
受注したあとにこんなことを言うのは本当に申し訳ないのですが、今回の案件は辞退させていただけないでしょうか？
大変申し訳ありません。よろしくお願いいたします。

ポイントは「受注したのに断ってしまって申し訳ない」という

謝罪はしつつ、お断りの意思ははっきりと述べることです。

　また、無事プロジェクトをキャンセルできたとしても、クライアントから悪い評価を付けられる可能性はあります。とは言え、もし悪い評価を付けられてしまっても、できることはあります。

例

▼対処法❶クライアントの評価に経緯を記す
「ヘルスケア系のコラム執筆という依頼内容でしたが、受注後の詳細連絡で「特定の健康食品をオススメする記事を書く仕事」だということが発覚しました。個人的にこの商品の効果について疑問を持っていますので、受注後にお断りしました。特定の商品についてのご依頼であれば、今後はプロジェクトの依頼文にそのことを盛り込んでおいていただけると助かります。」

▼対処法❷クライアントからの評価にコメントを返す
上記と同様の文面を、自分について評価への返信コメントとして掲載しておきましょう。

ヘルスケアに関するコラム
発注後にキャンセルされました

品質 ★☆☆☆	対応 ★☆☆☆
納期 ★☆☆☆	コスト ★☆☆☆
能力 ★☆☆☆	

ヘルスケア系のコラム執筆という依頼内容でしたが、
受注後の詳細連絡で「特定の健康食品をオススメする
記事を書く仕事」だということが発覚しました。
個人的にこの商品の効果について疑問を持っています
ので、受注後にお断りしました。特定の商品について
のご依頼であれば、今後はプロジェクトの依頼文に
そのことを盛り込んでおいていただけると助かります。

4-12 クライアントに「教える」手間も報酬に変えられる

●知識がないクライアントを避けるのはもったいない

ライターとしての経験が増えてくると、クライアントの良し悪しもなんとなくわかってくるようになります。その中で、Web関連やライティングに関する知識が少ない人に会うこともあります。

知識や経験の少ない人から仕事を受けると、こちらから教えてあげなければならないことが多くなり、手間も時間もかかってしまいます。そのため、「面倒だからそういう仕事は避けている」という人は多いですが、ちょっともったいないかもしれません。

Webライターの需要はあらゆるところにあります。そして、「知識が乏しいクライアント」との仕事には、チャンスが詰まっているのです。

●プロとしてアドバイスできると仕事の幅が広がる

たとえば、個人経営の飲食店オーナーから「Webサイトのライティングをしてほしい」という依頼があったとしましょう。依頼内容を見ると「Webに疎そうだな」という印象。

たしかにこういうクライアントだと、こちらが教えなければな

181

らないことが多く、手間はかかります。いつもと同じ原稿料では割に合わないでしょう。でも、それなら原稿料をアップすればいいのです。

どんな内容を盛り込むべきなのか、依頼から支払いまではどのような流れになるのか、そういったことを教えるための手間や時間だけでなく、「教えること」そのものへの対価も請求しましょう。わかりやすく言えば「コンサル料ももらう」ということです。

例

依頼内容を拝見したところ、〜〜というのは少々問題があるように感じました。一般的には〜〜のようにすることが多いです。

また、○○さまは今回のご依頼を通して「〜〜」という問題点を改善し、「〜〜」といった成果につなげたいと理解しました。

しかし今の要件のままほかのライターに依頼されますと、希望される成果は出にくいと思われます。

こうした点を含め、Webサイトに関する全般的なアドバイスをさせていただくほうが○○さまが望んでおられる状態に近づき、成果も出るのではないでしょうか。

わたしが担当させていただけるのであれば、合計○万円にて可能です。ぜひご検討くださいませ。

こうした形で「クライアントに足りない部分はフォローします」といった姿勢を明示した上で金額を伝えましょう。その金額

がクライアントの希望金額より高かったとしても、納得してもらえば依頼につながります。

● Webに疎いクライアントは非常に多い

あなたの周りにも、Webに疎い人はたくさんいるのではないでしょうか？わたし自身、周りに経営者の知り合いや友達がたくさんいますが、十分にWebを活用できていないように思います。

Webライティングに関して教えるだけでなく「Googleマップにも登録しておいたほうがいいですよ」とか「LINEで集客する方法もありますよ」といったアドバイスができると、よりクライアントの役に立てるでしょう。

こうした「Webを活用したいけどWebに疎いクライアント」はまだまだたくさんいます。クラウドソーシング上でもこういった人たちによる募集はあります。またリアルのつながりでも、口コミで広がれば仕事依頼はたくさん来るようになります。もっと仕事を増やしたいと思うなら、こういったクライアントを「面倒くさい」と避けるのではなく、「それに見合う報酬」を請求した上で受けてみてはいかがでしょうか？

Webに疎い・クラウドソーシングの使い方に慣れていない、などのクライアントは多くのライターさんは敬遠しがちです。でも、手間がかかるというだけで避けるのはもったいないと個人的には思います。特に、人に教えるのが好きなタイプの人は、積極的に不慣れなクライアントの仕事を受注すると、やりがいもあって楽しいかもしれません。

第 5 章

STEP 3
自分自身を磨こう：
ライターとして
評価を上げて
次の仕事につなげるには

ライターとしての技術を磨き、良い仕事を選ぶ目を磨いたら、次は自分自身にも目を向けてみましょう。ライターが仕事を選べる一方で、クライアント側にはライターを選ぶ自由があります。選んでもらえる、しかも何度も繰り返し依頼してもらえる、そんな魅力的なライターになるためには、どんなことを意識すればよいのでしょうか？

5-1 特別なスキルがなくても、リピートされるライターになれる

●「特別なスキル」が必須と思っていませんか？

「自分には特別なスキルが無い」と思っていませんか？特別なスキルって、いったい何なのでしょうか。読者をうならせる文章が書けるスキル？誰にも負けない専門知識？そんなものがなくても、稼げる（リピートされる）ライターにはなれます。

活躍しているライターさんたちのほとんどは、そこまでずば抜けたスキルを持っているわけではないと思います（もちろん中にはずば抜けたスキルを持っている方もいらっしゃいますが）。

スキルとは、ずば抜けた能力のことではありません。それどころか、「自分にとっては当たり前のこと」がすでに「スキル」である可能性が高いです。

自分にとって当たり前のことだと、周りを見たときに「どうしてこんな簡単なことができないんだろう？」「普通に考えればわかるでしょ？」と思ってしまいがちです。でも、周りの人が普通にできないようなことは、あなたのスキルであって、もっと言えば「あなたに与えられた才能」でもあります。

●「ちょっとしたスキル」が武器になる

わたしがまだ駆け出しライターだったころ、武器になってくれたのが「早さ」でした。わたしは文章を書くのが早いというスキルを持っていました。子供のころから作文を書き終わるのが早く、「みんなどうしてそんなに遅いんだろう？」と思っていたものです。

当時は早さが武器になるという自覚はありませんでしたが、納品するたびにクライアントに驚かれ、「なつみさんは早いから」と追加で依頼をもらったり、「来月は100記事まとめて書いてもらえますか？」と依頼が来たりする中で、「わたしは書くのが早いんだな」と自覚するようになりました。

ほかにも、こんな特性は武器になります。

・趣味でカメラをやっている

➡きれいな画像をつけられる

・口語体のくだけた文章になってしまいがち

➡フレンドリーでテンション高めの文体が書ける

・営業経験があるので電話に対する抵抗が無い

➡電話での取材や取材のアポとりが得意

2つ目のような一見「悩み」に思えるようなことでも、クライア

ントによっては価値あるものとなり、武器として使えることがあります。同じような例で言えば、薄毛に悩んでいる人は育毛剤など薄毛関連の記事が書けますし、ダイエット経験が豊富ならダイエット関連の仕事は受けやすいです。**自分自身が「比較的得意なこと」や「悩み」を振り返ると、自分が持つスキルが見えてくるでしょう。**

●スキルの掛け合わせで強い武器になる

また、ずば抜けた能力がなくても、「そこそこ」のスキルを掛け合わせることによって重宝されるライターになれます。

わたし自身は、子供のころから「これ」といった才能がなくて悩んできたタイプです。勉強がそこそこできて、そこそこ社交的、何をやっても「そこそこ」止まりで誇れるものが何もない。でも、それが武器になるということがわかってきました。

ライターとしても、わたしには特別すごいスキルはありません。

・そこそこ読みやすい文章が書ける
・そこそこ写真が撮れる
・そこそこ編集ができる
・そこそこ企画ができる

などなど……。それぞれの仕事を「ライター」「カメラマン」「編集者」といったプロに外注するとお金も時間もかかります。それ

に「そこまでのレベルでなくてもいい」と考えているクライアントもいます。

そういうクライアントにとっては、わたし1人に任せてしまうほうが外注費も安くなり、安いわりにそこそこのレベルの成果が出るため満足度が高くなるようです。

●スキルを自覚すれば稼げるようになる

活躍しているライターさんたちを見ていても、1つの能力に秀でた「特別なスキル」を持つ方ばかりではありません。ですが、ちょっとしたスキルがあれば月収20万や30万円程度にはなるものですし、スキルを掛け合わせていくことで、さらに収入は増やせます。

ただ、自分のスキルにまったく気づいていない状態では、せっかくのスキルを十分に生かしきれません。自分が持っているスキルが何なのか、それらを掛け合わせることはできるか、自身のこれまでの経験を振り返ってみましょう。

5-2 用意するプロフィールは最低3種類

●「何者なのかわからない」人に良い仕事はこない

クラウドソーシングでは、掲載されている仕事一覧の中からやりたいものに応募して、選ばれれば仕事ができます。しかし、必ず選ばれるとは限りませんし、そもそも、「あなたが何者なのか」を発信していない人には、良い仕事は回ってきません。ここで言う「良い仕事」とは、報酬金額が高いとかやりがいがあるとか、自分にとって価値のある仕事といった意味です。

クラウドソーシングに「ライター」として登録している人だけでも何万人もいますし、クライアント側も「ライターなら誰でもいい」と思っているわけではありませんよね。

あなたがどんな人で、どんなことができるのか、わからなければ「任せてみよう」とは思ってもらえません。そこで必要となるのが「プロフィール」です。

●「プロフィールページの情報」だけでは不十分

クラウドソーシングには必ずプロフィールページがありますが、それだけでは不十分です。仕事を増やしたい・収入を増やしたいと思うなら、あと2種類用意しましょう。

稼げるようになりたいWebライターに必要なプロフィールは3種類です。

・クラウドソーシング上で使う詳細プロフィール
・メディア掲載用のプロフィール
・名刺

　それぞれ、プロフィールに掲載すべき情報は異なりますので、順番に解説していきましょう。

●クラウドソーシング用のプロフィールは 「クライアント向け」

　クラウドソーシングを利用していても思うように仕事が取れないという人は、たいていプロフィールページへの書き込みが足りません。多ければいいというものではありませんが、必要な情報だけを埋めていったとしても、それなりの分量になるはずです。

　クラウドソーシングのプロフィールでは「クライアントが依頼したくなるか」を意識してください。

・冒頭は簡単な挨拶
・実績
・職歴
・経歴

・得意分野

ポイントは「自分をイメージしてもらいやすく書くこと」です。

▲同じ「得意分野」を書いても、印象がまったく違う

たとえば得意分野について書く場合、どれぐらい詳しいのかがわかれば、対応できる範囲もイメージしてもらいやすいですよね。特にすごい実績でなくても、どんどん書き込みましょう。たとえばわたしが実際にプロフィールに記載している「FP3級」というのは、「ファイナンシャルプランニング技能士3級」のことです。少し勉強すれば誰でもとれるような資格ですが、何も資格を持っていない人に比べれば「ある程度基礎的な知識はあるんだな」ということが伝わります。

クラウドソーシングでは、クライアントから見て「どんな記事

が書けそうか」というのがわかるプロフィール作りを意識してください。キーワード検索でライターを探すクライアントも多いので、プロフィールページをしっかり埋めておけば検索にもひっかかりやすくなりますよ。

ワンポイント

　プロフィールは充実させたほうがいいのですが、長々と書いても読むのが大変になってしまいます。詳しい情報を盛り込みつつも、箇条書きを使うなどしてなるべく簡潔に記載することを心がけましょう。

●読者向けに、メディア用のプロフィールを用意しよう

　記名記事の場合は、ライターのプロフィールも記載されることが多いです。メディア用のプロフィールを見るのは読者ですから、読者に向けたプロフィール文を作りましょう。

　読者に向けたプロフィールとは、「このライターの記事は信用できそうだ」と思ってもらえるようなプロフィールのことです。

　その際、プロフィールは同じものを使いまわさず、メディアごとに変えるのがオススメです。読者に向けたプロフィールにしようと思えば、必ずメディアごとにプロフィールは変わるはずだからです。

　次ページの例は、2017年6月時点での、わたしのブログおよびTwitterのプロフィール文です。

2012年から始めたランサーズがきっかけでWEBライターに
なり、うっかり波に乗れてしまった感があります。普段は京都
できれいな空気を吸って生きています。

　わたしはマネー系と美容系の仕事が多いのですが、上記のプロフィールがマネー系や美容系のサイトに掲載されていたら違和感がありませんか？美容系のメディアなら、そのライターが美容に関してどれだけ詳しいのかとか、どんな美容法を実践しているのか、といったことがわかったほうが説得力が出ます。

　もうひとつ例を挙げてみましょう。「ノマド的節約術」というサイトのプロフィール文はこちらです。

節約はするけど好きなことにお金を使うのが大好きなWebライ
ター・webライティング講師。節約に関する知識が豊富な
反面、必要なものにはどんどんお金を使っていく性格のため
「メリハリあるお金の使い方」を発信していきます！

　わたしはこれまで複数のマネー系サイトで執筆してきましたが、プロフィール文はすべて変えています。同じマネー系というジャンルでも、メディアごとに方針や方向性は違いますし、読者層も異なるからです。

　このように、読者に合わせてプロフィールを変えることで読者

に信用してもらえれば、結果としてメディア自体の信用度も上がります。

●稼げるようになりたいなら名刺は作るべき

クラウドソーシングで仕事が受注できる今、クライアントと会わなくても仕事はできます。しかし、名刺は作っておくべきです。

◉ リアルの知人友人から依頼が来ることもある

名刺を渡しておくと、後日仕事の相談や依頼がくることがあります。Web業界以外の人は特に「知っている人のほうが依頼しやすい」と考える傾向があります。

◉ セミナーや交流会をきっかけに仕事がくることも

名刺交換だけで終わってしまうことも少なくありませんが、交流会などで話が弾み、仕事につながることもあります。

◉ 取材時には名刺があったほうがいい

店舗などに取材に行く際には、名刺を渡したほうが「どこの誰だかわかる」と安心してもらいやすいです。

「名刺なんて必要ない」という意見もありますが、そんなことはありません。すでに十分すぎる仕事を抱えている売れっ子であれば別ですが、これから「稼げるライターになりたい」と思ってい

る人はぜひとも名刺を作っておきましょう。

5-3 プロジェクトでの採用率を上げる提案文の書き方

●提案文に必要なのは「実績」のアピール

クラウドソーシングのプロジェクトでは、提案しても採用されなければ仕事がもらえません。やりたい仕事を探すのにも、提案文を考えるのにも時間はかかるわけですから、採用率は高いほうがいいですよね。

提案文の書き方は人それぞれ違いますが、大事なのは「実績」に関するアピールです。うまくいっていない人と稼いでいる人で比較したとき、一番違うのがこの「実績のアピール」なのです。

アピールする実績は2種類あります。1つは「ライターとしての実績」。ライターとしての知識や経験があるか、ということですね。そしてもう1つが「募集されているテーマに関する実績」です。たとえば節約に関するテーマなら、どれぐらい節約について知っているか、ということが実績として書かれている必要があります。

以下に3パターンの提案文を用意してみました。いずれも「登録して間もないころ」の実例で、採用されているものです。つまり、実績が少なくてもポイントを押さえて書けば採用率は上がるということがわかっていただけると思います。

以下の方は2013年8月にクラウドワークスへ登録。この提案文は2013年10月のものです。

例

▼例❶：転職に関する記事作成（大前英恵さん）

初めまして。記事作成に興味あり応募させて頂きました。

過去契約内容（ライティング記事作成）

・コラム・エッセイ・検索エンジン対策記事、体験談、紹介文など（文字数400～10000文字）
　過去に、盗用やコピペ、音信不通や作業放棄による契約解除の経験はございません。
　文字制限と報酬が似た、過去作成の記事を見本に添付させていただきます。

口コミに近い体験談風の指示で作成しました。見本は作成したものですが。すでに著作権は譲渡しております。

こちらが伝えておきたいこと

・作業時間は朝、日中、夜中とバラけていますが最低1日数度はメールが確認できるようにしております。
・上記が難しい、長時間不在の場合はメールにて事前に連絡しております。
・評価で終わらせる契約でなく、初回に方向性や構成など摺り合わせしたいと思っております。

抱え込む作業でなく丁寧に行いたいと思っております。応募有効期限を短くしておりますことお許しください。

以下、現在考えているテーマです。

・バタバタ転勤？職場で違う転勤発表
・美容師さんの転勤で経験した失敗談
・転勤を伝える人の気持ち、言われる人の気持ちの体験談
・転勤準備で注意したいこと○個
・転勤での引っ越し業者選びのコツ
・転勤族のメリット、デメリットなど

よろしくお願いします。

　以下の方は2016年8月にランサーズへ登録。この提案文は2016年9月のものです。

例

▼例❷：ランニングに関する記事作成（匿名）

初めまして、○○○○と申します。

ランニングに関する記事執筆ということで面白そう！と思い、提案いたしました。
私は今まで継続して5年程度筋トレを行っていまして、メニューの中にランニングを必ず入れています。そのため、ダイエットや健康と関連付けたランニングの記事なら、実体験に基づいた深い内容を書けると思います。

ランニングは継続が一番難しいですよね・・・。自分も何度か心が折れそうになりましたが、いろいろな方法でモチベーションを上げ、今まで継続することができました。そんな苦し

いときにモチベーションを上げる方法や、今日からランニングをしてみよう！って思ってもらえる記事を書きたいと思っています。

今まで記事の執筆依頼を５０本以上受けているので、執筆に関するレギュレーションの理解、実践に関しては問題ありません。

また、私はブログを運営、公開していまして、そちらを私の文章力、構成力の参考にしていただけたらと思います。以下にブログ記事のURLを貼っておきますね。
納期は必ず守ります。どうぞよろしくお願いいたします。

以下の提案文はわたし自身が過去に書いたものです。ランサーズに登録したのが2012年9月で、この提案文は2012年10月のものです。

例

▼例❸：生命保険に関する記事作成

はじめまして。

わたしは以前、生命保険会社のアフターフォロー部門で働いていたことがあります。
主な仕事は名義変更や給付金請求などの手続き関係でしたが、新規契約や見直しにも携わる仕事だったので、一通りの知識はあります。

また、最近、このランサーズでも依頼を受けて生命保険に関するブログ記事の作成を50記事ほどやりましたので、スムーズに書けると思います。

本業と、他のランサーズの仕事もあるのでそんなに早くはできませんが、ご希望の納期には十分間に合うかと思います。
よろしくお願いいたします。

それぞれの提案文は、書き方は全然違います。しかし、いずれも実績に関するアピールがしっかり入っています。

また、ライターとしての実績がついてくると、さらにアピールしやすくなります。こちらの例もぜひ参考にしてみてください。

例

▼例❹：検索エンジン対策のための記事作成（大前英恵さん）

ショートメッセージから失礼します。
記事作成に興味があります。
既存の記事を書きなおす作業とのこと。
検索エンジン対策を施したブラッシュアップといったイメージをしております。
作業内容としては

・キーワードプランナー及びgoodkeywordなどでのマインドマップ、KW、関連KWの選定
・ディスクリプションの作成
・検索エンジン対策を施したコラム記事作成
（ペナルティ回避、バズ狙い等含む。メインKW、関連KWの組み込み）

などが行えます。
参考までに、検索エンジン対策向けの作成記事URLを添付します。

既に著作権は譲渡しておりますので、ご了承ください。
まず1記事作成できればと思っていますので、よろしくお願い
いたします。

http://〜
指定KW「○○」検索結果2位

http://〜
指定KW「○○」検索結果26位

http://〜
指定KW「○○」検索結果1位

　これはSEOに強いライターさんの提案文ですが、ここまでしっ
かり書かれていれば頼もしいですし、「ぜひ依頼したい！」と思え
ますよね。

●こんな提案文はダメ！

　一方で、採用率が低い提案文とはどのようなものでしょうか。

◎一言しか書いていない

　「よろしくお願いいたします」としか書かれていないような提
案文を書く人もいるそうです。「実績はプロフィールを見ればわ
かるから提案文に書かなくていいのでは」と考えている人もいる
ようなのですが、クライアントがプロフィールページを見てくれ
るのは「提案文に興味をもってから」です。

◎ノイズが多い、長すぎる

　提案文はたくさん書けばいいというものでもありません。挨拶文が長い、直接関係の無い話が多い提案文は読むだけでも大変です。たとえ実績がきちんとアピールできていても、提案文が長いと「読まれない」可能性がありますし、「コンパクトにまとめられないということはライターとしてもレベルが低いのでは」と思われかねません。

◎必要な情報が入っていない

　実績に関するアピールはもちろんのこと、ほかにも募集要項に記載されている内容を満たしていないのは論外です。たとえば「ライター歴をお書き添えください」と書かれているのに書き忘れる、というようなミスはしないでください。

◎自分の都合ばかり書いている

　「報酬は○円にしてください」「稼働時間は1日○時間です」「子どもがいるので夜は返信できません」などなど、注意書きとして記載してもいいのですが、それしか書いていないのでは採用されません。

◎当たり前のことしか書いていない

　「納期は守ります！」「指示いただいた内容に沿って執筆いたします！」など、いくら気合を入れて提案していても、内容が当たり前すぎてアピールになりません。こちらも提案文の最後に一言添える程度であればいいのですが、これしか書いていない、というのでは困ります。

◎そもそも定型文

たまに「なつみさんが使っている定型文を見せてください」と言われるのですが、提案時に定型文を使うというのはそもそもあり得ません。その都度、依頼内容に応じて書くというのが基本中の基本です。

●オススメの提案文の型

「定型文」はあり得ませんが、ある程度「型」にはめて提案文を書くのはオススメです。わたしは、以下のような流れで書くことを意識していました。

❶簡潔な挨拶

❷テーマに関する実績のアピール

❸ライターとしての実績のアピール

❹スケジュール感や金額に関する補足

❶ はじめまして。

❷ わたしは以前、生命保険会社のアフターフォロー部門で働いていたことがあります。主な仕事は名義変更や給付金請求などの手続き関係でしたが、新規契約や見直しにも携わる仕事だったので、一通りの知識はあります。

❸ また、最近、このランサーズでも依頼を受けて生命保険に関するブログ記事の作成を 50 記事ほどやりましたので、スムーズに書けると思います。

❹ 本業と、他のランサーズの仕事もあるのでそんなに早くはできませんが、ご希望の納期には十分間に合うかと思います。
よろしくお願いいたします。

また、「箇条書きできるところは箇条書きにする」「適度に空白行を空ける」といった配慮をすると読まれやすいでしょう。提案文の書き方に自信が無い方はぜひ取り入れてみてください。

●熱意と少しの演出で受注率は上がる

「受注したい！」という熱意は案外伝わるものです。長文提案文は読まれにくいため、簡潔に熱意をアピールしましょう。たとえば冒頭にこのような文言を入れるだけでも印象が違います。「どうしてもこの仕事をやりたい！と思い提案させていただきます。」

そして少しの演出を意識してください。たとえ今手元にまったく仕事がなくても、「言われたことをなんでもやります」「納期はいつでもOK」といった書き方をしてしまうと、ヒマな人だと思われますよね。「仕事がなくてヒマということは、ライターとしてのレベルが低いのではないか」なんて思われてしまっては損です。そこは書き方で演出を加えましょう。

例

「最短で○日には納品可能です」

➡このように書けば「仕事が早い人」のようなイメージになります。

「可能な限りご意向に沿いたいと考えておりますので些細なことでもお気軽にご相談ください」

➡このように書けば「なんでもやります！」と書くよりも「親身に相談に乗ってくれる人」という印象になりますね。

ここはライターとしての腕の見せどころでもあります。ウソを書くのは言語道断ですが、書き方次第で印象は変わるので、ぜひ工夫してみてください。

●実績の多いユーザーに勝つには？

　プロジェクトでは、複数のユーザーが提案してその中で1人が選ばれるわけですが、その中には実績の多いユーザーがいる場合もあります。ここからは実績が多いユーザーと競合しそうなときの提案のポイントを紹介しますが、そもそも、実績が多いユーザーを恐れる必要はないのです。

　なぜなら、プロジェクト提案で出くわす「実績の多いユーザー」は、必ずしも能力が高いとは限らないからです。

●やり手のライターはプロジェクトに提案しない

　売れっ子ライターさんはリピーターを多く抱えています。ちょっと手が空いたとしてもつねに魅力的な新規依頼の問い合わせが来ているため、「自分から仕事を探す」ことはほとんどありません。継続・新規問わず「直接依頼」だけで成り立っている人が圧倒的に多いのです。

　クラウドソーシングの実績数とは、「これまでに請け負ったプロジェクトの数」にすぎません。場数を多く踏んでいるという意味ではやはりすごいことですが、実績が多いからと言って実力があるとは限りません。

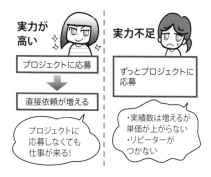

「実績が多いユーザーには勝てない」と考えるのは間違い。提案文でしっかりアピールできれば、実績の多いユーザーと競合しても大丈夫なのです。

5-4 締め切りに間に合わないのは本来「ありえない」こと

●「納期に間に合わないかも」と考えたことがある人へ

「締め切りは守って当然、間に合わないという選択肢はそもそもない」わたしはそう考えています。だから、「間に合わなかったらどうしよう」という不安がありません。そもそも間に合うのが当然で、作業ペースが遅れたとしても「間に合わせるのが当然」だと思っているからです。

サザエさんに出てくる小説家「伊佐坂先生」のような、「読者に求められている大作家」であれば、締め切りに間に合わなくてもいいのかもしれません。しかし一般的なWebライターはそうではありません。不誠実な仕事をすれば、すぐに切られるだけ。だから、締め切りは守るのが当然、と考えるべきではないでしょうか。

厳しいように感じるかもしれませんが、「間に合う（間に合わせる）のが当然」と肝に銘じておいたほうがよいでしょう。

●徹夜してでもやるべき！とは思わない。でも……

「納期に間に合わないかも」という不安を打ち消す一番の方法は、「計画を立てたら、あとは淡々と遂行すること」です。

「納期に間に合わないかも」と不安になってしまう人は、「計画

通りに進められなかったらどうしよう」という不安に取りつかれて仕事のペースが乱れている傾向があります。

　活躍しているライターさんほど、日々の仕事を淡々と進めています。自分の執筆ペースを把握し、それをもとに納期から逆算して計画を立てる。あとは計画通りに進めるだけですから「間に合わないかも」と不安になる必要がありません。

　もちろん計画通りに進まないこともありますが、それも見越した上で「土日はブランクにする」などの対策をしておけば問題ありません。

　淡々と遂行するためには、**納期までの一連の計画だけでなく、毎朝仕事を始めるときに、その日の作業内容を書き出すのもオススメです。**1日分の作業内容をTODOリストとして書き出して1つひとつこなしていけば、仕事が進んでいる様子が確認できます。仕事が進んでいることを目で確認できれば、不安になりにくいはずです。

　「万が一間に合わない可能性が出てきたら徹夜も辞さない覚悟」を持ちつつも、そもそも徹夜しなければならないほど追い込まれないように、きちんと計画を立てることが大事です。

「納期に間に合わないかも」と思ったら、まずやること

●本当に間に合わないのか冷静に計算しよう

予定通りに仕事が進まず「納期に間に合わないかも」と焦りだしたら……。なによりもまず、気持ちを落ち着けましょう。焦っていると余計に不安になりますし、いつも通りに仕事を進めるのが難しくなります。

「とにかく急ごう！」ではなく、いったん深呼吸して、本当に間に合わないのか計算してみてください。平常心を失っていると正しい判断ができなくなりがちです。一度落ち着いて、冷静に計算してみると、意外と間に合うことのほうが多いものです。

●それでも間に合わない場合はすぐに連絡を

「冷静に計算してみても、どうがんばっても間に合わない！」という場合、すぐにクライアントに連絡してください。

「ギリギリまでがんばろう！」なんて思ってはいけません。計算の結果「ギリギリまでやれば間に合う！」と確実にわかるならいいのですが、計算して「間に合わない」という結果がわかっているのにがんばるのは合理的ではありません。連絡が遅れるほどクライアントに迷惑がかかることを理解しましょう。

あなたが締め切りに遅れてしまうと、記事の公開日がずれこんだり、編集者の作業日数が減ってしまったりと、必ずほかの誰かに迷惑がかかるのです。

> **例**
>
> ○○さま
> お世話になっております。
> 現在執筆中の記事ですが、納品が○日になってしまいそうです。大丈夫でしょうか？
>
> 子どもがケガで入院することになり、それに伴い1週間程度は作業時間が減ってしまいます。大変申し訳ございません。

長々と言い訳をしても仕方ないので、まずは納品が遅れる旨と具体的にどれぐらい遅れるのかを伝え、それから簡潔に事情を伝えておく、ぐらいがいいと思います。

日程にゆとりがある案件なら、あっさりと了承してもらえることもあります。また、日程にそれほどゆとりがなくても、早めに連絡を入れておけばなんとかなる場合も多いので、間に合わないと思ったときには、すぐクライアントに連絡してくださいね。

●今後の予定が読めなくなったときは相談しよう

不慮の事故や身内の不幸などで、仕事がストップしてしまうようなケースもあります。具体的に「○日遅れる」といった計算ができない場合も、すぐにクライアントに相談しましょう。

○○さま
お世話になっております。
現在執筆中の記事ですが、締め切りに間に合いそうにありません。

義父が先月から入院しており、先ほど容態急変の知らせを受けて今病院に向かっているところです。間に合うかどうかは状況次第ですが、大幅に遅れそうな場合は連絡いたします。申し訳ございません。

　これは実際にわたしが遭遇したケースです。病院に向かうタクシーの中でクライアントに連絡したのを覚えています。その後義父は亡くなってしまい、そのままお葬式の準備などでしばらく慌ただしく過ごすことになりました。その間ほとんど仕事ができませんでしたが、状況の報告だけは入れるようにしていたおかげか、落ち着いてからは、また今まで通りに取り引きしてもらえました。

　納期に間に合わないからと焦って無理をしたり、もしくは諦めて連絡をしないでいると、一気に信用を失います。必ず、間に合わないと思った時点で連絡を入れ、先の予定が読めないときも相談を欠かさないようにしましょう。

信頼関係を崩さない、報酬交渉の仕方

5-6

●報酬交渉をする前に確認しておくべきポイント

うまくいっていないライターさんほど、報酬交渉をしていません。「報酬交渉が苦手」もしくは「報酬交渉をする発想自体なかった」という状態です。「交渉ごとは苦手だ」という人は多いのですが、単価が低いままでいいわけではありませんよね？単価が安い仕事を断っているのなら、まずは報酬交渉をしてみてもいいのではないでしょうか？

ただ、報酬交渉をするにあたって、押さえておくべきポイントがあります。

それは、「クライアントと信頼関係が築けているか」という点です。クライアントがあなたの仕事内容に満足しておらず「妥協」や「惰性」で依頼している場合、報酬交渉をしても「では今回限りで終わりにしましょう」となるのが関の山。

クライアントに信頼されているかどうかを見極めるのは難しくありません。日頃のやり取りや、クラウドソーシングの評価コメントを見ればいいのです。メッセージやコメントで褒めてもらったり、喜んでもらっているのが伝わるなら、信頼関係が築けていると言っていいでしょう。

参考例として、わたしの仕事に付いた評価コメントを挙げてみます。

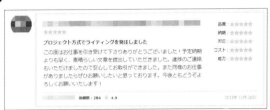

▲クライアントのテンションが上がっている様子がわかる

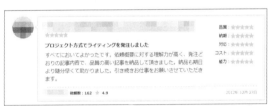

▲これだけ褒められているなら信頼されているのは間違いない

ご苦労さまです。
記事を拝読させて頂きました。

文字数、内容、文章の流れ、読みやすさ・・・
素晴らしい出来ですね！

正直驚いています。
ありがとうございました。

またお願いすると思いますので、その時はよろしくお願いいたします。

質問ですが、不妊症、ダイエット、カードローン、キャッシング系のライティングも
得意なのでしょうか？

お忙しいとは思いますが、ご回答お待ちしております。

▲評価コメントではなくメッセージとして送られてきたケース。追加
　依頼の打診や詳しいヒアリングが来る場合も、信頼されている証拠

このほか、こんな文言があれば信頼されていると思っていいでしょう。

・継続的にお願いしたい
・期待以上
・非常に満足、とても満足
など

　一方、やり取りの中でこういったフレーズが出てくることもなく、評価コメントでも「またお願いします」のように当たり障りのないことしか書かれていない場合は、報酬交渉は失敗する可能性が高いです。

●交渉時には希望金額を伝えよう

　クライアントから信頼されていると確信できたら、報酬交渉をしてみましょう。ただその際にやりがちなのが、金額を指定せずに「できれば報酬を上げてほしい」とだけ言ってしまうパターンです。

　それだけでは、クライアントが了承してくれたとしても「文字単価0.1円アップ」とか「1本あたり50円アップ」など、希望より低い金額にしかならないこともあります。しかも一度交渉して了承してもらった以上、それ以上の交渉はやりにくくなりますよね。

<u>必ず、具体的な希望金額を伝えた上で、交渉してみてください。</u>

　では、「単価交渉のタイミング」についてはいつがベストなのかと疑問に思われるかもしれませんが、基本的には「報酬を上げてほしい」と思ったときがタイミングです。ただし、信頼関係を築いてからというのが大前提ですから、信頼関係が築けるまでは待ちましょう。

例

ところで、■さんに、ご相談があるのですが……。

報酬について、少しでも上げていただくことって難しいでしょうか？；；
ランサーズでたくさんの仕事を任せてもらえるようになり、このまま本業としてライターをやっていっても良いかな、と考えているのですが、その場合、現在の報酬がネックになるのです。
また、新規のクライアント様からの直接依頼がかなり増えています。ですので新規のクライアント様には手数料抜きで1文字■円以上の報酬という条件を飲んでいただける場合のみ引き受けることにしています。
なんか生意気な感じがして嫌なんですが…。
以前からお世話になっている■さんに言うのも心苦しいのですが、できれば手数料抜きで■円（手数料込■円）……難しいですかね(ﾉω・、)
もし、報酬を上げていただけるのであれば今まで以上に質の向上、情報量の多さにも力を入れてまいりますので、検討していただければうれしいです。ほんとに、エラそうにすみません；；

　上記は、わたしが過去に実際に送ったメッセージです。ライター業を始めてまだ4か月ぐらいだったので、かなりへっぴり腰で交渉していますね。実際はここまでへりくだる必要はないです。注意してほしいのは、<u>交渉時には、必ず「根拠」とセットで伝える</u>ということです。どうして報酬を上げてほしいのか、どうしてこの金額を希望するのかを伝えたほうが納得してもらいやすいからです。

また、「絶対にこの金額じゃないと嫌というわけではなく、○○さまのご都合もおありだと思うので、ぜひご相談させていただきたいです。」のように、譲歩する姿勢を見せるのもいいでしょう。

　ライターさんやクライアントの個性、関係性によっても、どのような報酬交渉術が有効かは違ってきますが、よかったら参考にしてみてください。

●いくらにすればいいのかわからない場合は？

　「報酬を上げてほしいけど、金額設定をどうすればいいかわからない」という場合もあると思います。ライターの報酬は相場があってないようなものですから、迷うのも無理はありません。

　一番簡単なのは、時給換算や生活費からの逆算です。

・1か月あたり3万円ほしい
・1か月あたり働けるのは25時間
・3万円÷25時間＝1,200円
・1本あたり4時間かかる
↓
・1,200円×4時間＝1本あたり4,800円

　このように必要な収入額から逆算して最低限必要な時給を算出します。そして、1本あたりにかかる時間をかければ1記事あたりに必要な最低単価がわかりますね。

ただ、必要な収入額を基準にしているだけでは、早々に単価は頭打ちになります。スキルも経験も増えてきたら、「自分がほしい生活費」や「理想の時給」を基準にしていきましょう。

いつまでも「生活費から算出した時給換算」を続けるのもお勧めしません。受けきれないほどの依頼がくるようになれば値上げを検討しましょう。わたしは、今は基準は特に決めず、「〇円ぐらいなら気持ちよく働けるなぁ」と思える金額を案件ごとに設定しています。

●単価が上がらないなら作業量を見直してもらおう

いくら信頼関係が築けていても、クライアントには予算があるため報酬を上げてもらえないこともあります。

予算を理由に断られた場合は、作業量の見直しを打診してみましょう。たとえば画像選定やWordPressへの投稿作業といった作業をなくしてもらう。もしくは月間5本だったものを金額はそのままで4本にしてもらうなど。

作業量が減れば実質値上げしてもらったのと同じ効果があります。作業量が減って空いた時間で別の仕事を入れれば月収も増やせるので、ぜひ交渉してみましょう。

5-7 単発プロジェクトの完了時、次につながりやすい一言

●単発プロジェクトだって継続案件になる！

　副収入を安定して得るためには、毎月同じように依頼してもらえる「継続案件」がほしいところです。売れっ子ライターさんは、継続案件だけでありすぎるほどの依頼を受けているものです。

　でも、だからと言ってクラウドソーシング上で「継続案件だけに応募し、単発のプロジェクトは避ける」のは得策ではありません。

単発プロジェクトだとしても、クライアントに気に入ってもらえれば必ずリピートになります。毎月安定した継続でなくても、またライターが必要になったときには声がかかるものなのです。

　では、単発プロジェクトでも継続的に依頼をもらうにはどうすればいいのでしょうか？

●継続依頼をもらう前提で話そう

　リピーターになってもらうには、質の高い成果物を納品する・迅速でスムーズなやり取りをする、といった最低限の基準はクリアしてください。さらに、それにプラスして、「次につなげる一言」

があると、継続依頼をもらえる確率は上がります。**ポイントは**
「継続依頼をもらう前提で話すこと」。

例

○○さま
この度はスムーズなお取り引きをしていただきありがとうご
ざいました。

今月はまだゆとりがありますので、あと○本程度の執筆が可
能です。また、来月以降もご希望であればあらかじめ教えてい
ただけますと、枠を確保しておきます。
よろしくお願いいたします。

　このように、現在の仕事の状況を伝えることによって、「追加で
発注いただいてもいいですよ〜」というアピールができます。

　また、「枠を確保」のような言い回しを使うと「ほかにも仕事は
あるけど、あなたのために働きたいと思っていますよ」という
ニュアンスも伝えられます。

例

○○さま
この度はありがとうございました。

今回ご依頼いただいた生命保険以外にも、家計管理や節約全
般、美容（ダイエット・脱毛）についても対応可能です。
また機会がありましたら、ぜひよろしくお願いいたします！

　クライアントがWeb制作会社など複数のジャンルを扱ってい

ることが想定される場合は、このようにほかのジャンルのアピールをするのも有効です。

●お互いに遠慮しているだけの場合もある

「クライアントから継続の打診がない以上、満足してもらえていないのだろう」と考えるのは早計です。

クライアント側もあなたに遠慮している可能性があるからです。あなたは継続依頼がほしいと思っているのに、クライアントも「いいライターさんだからきっと忙しいだろうな」と遠慮していたとしたら……。こんなにもったいないことはありませんよね。

こちらから一言添えるだけでクライアントも安心して継続依頼ができるようになるので、ぜひ「次につなげる一言」を使ってみてくださいね。

> この例文を応用して使ってみた方たちからは、「本当に継続依頼につながった！」という声をたくさんいただいています。

5-8 「仕事をください」は禁止！

●仕事は「恵んでもらう」ではなく「依頼してもらう」もの

　仕事がほしいあまり「仕事をください」と言ってしまう人がいます。クライアント相手だけではなく、わたしのもとにも「仕事をください」といった連絡が来ます。でも、「仕事をください」だけでは、仕事はもらえません。

　仕事とは、価値と価値の交換です。

PVなど売り上げにつながる文章

価値

ライター　　　　　クライアント

　仕事を依頼する側は「お金を払う代わりに、自分（自社）にとって価値のある原稿をもらう」、ライターは「相手にとって価値のある原稿を渡す代わりにお金をもらう」。これが仕事です。

どんな価値があるのかわからないものにお金は出せません。

●自分が提供できる「価値」を伝えよう

　仕事がほしいなら、自分が「もらう」ことではなく、「相手に提供できる価値」を伝えることから始めるべきです。

　5-7「単発プロジェクトの完了時、次につながりやすい一言」で紹介した伝え方のような、「ほかにこんな仕事もできますよ」といった言い方であれば、相手に提供できる価値が伝わります。その内容が相手にとって価値あるものなら「じゃあそれも依頼してみよう」と仕事につながります。

　「仕事がほしい」という気持ちをどう表現するかで、仕事につながるかどうかが変わるのです。

　ただし、自分が提供できる価値が「相手にとって本当に価値があるものなのか」は意識しましょう。中には取り引きのあるクライアントに対して一律に「自分ができること（得意分野）」を送り付けてしまう人がいるのですが、これでは意味がありません。

　クライアントごとに、「この会社はこういう事業をしているから、こういう原稿を必要としているのではないか」と推察しながらアピールしてください。相手にとって価値のあることをアピールできれば、「仕事をください」と言わずとも仕事の依頼は来るものです。

ライター活動に役立つ営業テクニック

●Webライターに「営業力」が必要な理由

　Webライターの仕事を獲得するには、営業力が必要です。と言うと、「自分には無理」「無理やり売り込むようなことはしたくない」とあとずさりしてしまう方がいます。

　しかし、営業力と言うのは習得が難しいものでもなければ、強引にクライアントに契約を迫るようなことでもありません。

　一流の営業マンは、顧客が「営業をかけられた」と自覚できないほど、自然にニーズをくみ取り、それに応じて最適な提案をしてくれます。そのため顧客は気持ちよく買い物ができるのです。

　Webライターにとって営業力が試される場面と言えば、まずは対クライアントの、提案時や交渉時のやり取りです。クライアントが望んでいること（ニーズ）を探り、それに応える提案をするのが営業力ということです。

　また、原稿を書くときにも営業力が必要です。LP（ランディングページ）など広告系の仕事ではもちろんのこと、それ以外の仕事でも営業力は役立ちます。

　たとえば「ダイエッターにオススメのコンビニ食品○選」のようなコラムであれば、ただオススメが羅列されているよりも、読

者が「試してみよう！」と行動を起こしたくなるほうがいいです
し、「これは試してみたい！」とSNSでシェアされやすいという効
果もあります。そしてそんな記事を書くには、読者のニーズをく
み取って、適切な提案ができる営業力が必要です。

●顧客の心理状態の変化を知ろう

ではどうすれば営業力が磨けるのか？営業力については解説し
きれないほど膨大な要素があるので、ここでは一点だけアドバイ
スを紹介します。

営業力を磨くためにまず意識してほしいのが、「顧客の心理状
態の変化」です。

例

▼ある商品を購入するまでの顧客の心理状態
0：その商品を知らない状態
1：その商品を知るが興味はない
2：知っているけどよくわからない
3：興味はあるけど不安
4：不安が取り除かれる
5：ほしくなる
6：購入

この流れはあくまでも一例ですが、相手がどの段階の心理状態
にいるのかがわかれば、最適な提案をしやすくなります。

たとえば特定のダイエット商品を紹介するような記事でも、想
定する読者層がどの段階にいるのかを決めておけば、購入につな

げやすくなります。もし「名前は知っているし興味はあるけどよくわからない」という人に向けた記事なら、キーワードは「商品名＋とは」「商品名＋口コミ」などになります。

その場合、書く内容はこのような流れが考えられます。

・冒頭で商品について簡単に解説
・その商品の特徴や使うメリットについて解説
・出てきそうな疑問を先回りして解説
・（あれば）口コミの紹介
・お得度をアピールして「買ったほうがいい」と背中を押す

これもあくまで一例ですが、この順番であれば、心理状態の変化に沿って解説しているので購入につながりやすくなります。

もしこれが「その商品についてまったく知らない人」に向けた記事の場合は、キーワードとしては「ダイエット食品＋おすすめ」「ダイエット食品＋ランキング」などが考えられます。そして内容も、まずはダイエット食品を使ったほうがいいのかどうか？という話から始まり（もちろん使ったほうがいいという流れになり）、そこから選び方を解説し、「その選び方でいくとこの商品がおすすめ」という流れになるでしょう。

●クライアントとの交渉時にも心理状態を想像しよう

プロジェクトへの提案や報酬交渉の際も、相手がどんな心理状態なのかを想像するとニーズをくみ取りやすくなります。

たとえば「30記事」や「50記事」といったまとまった量の案件を募集しているクライアントなら、量をこなせるライターを必要としているだろうと考えられますよね。そして、募集しているということは、現状はそういうライターが不足しているということ。

それなら、提案時には「量をこなせること」「スピードがあること」をアピールすると、選ばれやすくなります。

単に「わたしは書くのが早いのでご希望の納期に間に合います」と提案するよりも、以下のように提案するほうがクライアントに喜ばれるでしょう。

例

> 「わたしは書くのが早いため、1日あたり〇記事作成可能です。
> 〇日間あれば納品は可能なので、ご希望であればさらに追加
> のご依頼もお申し付けください」

対クライアントにしろ対読者にしろ、「相手のニーズをくみ取りそれに応える」という姿勢がある人は、稼げるライターになれます。営業力は、そのためのノウハウ。営業に関する本はたくさんあるので、ぜひ読んでみてほしいです。

ライター同士で情報交換するメリットと注意点

●1人でがんばるだけではわからないこともある

わたしはWebライターになってから、ほかのライターさんと交流することはほとんどなく、ずっと1人でした。3年経ったころにほかのライターさんとも交流するようになったのですが、もっと早くから交流していればよかったと思います。

自分1人でコツコツがんばるのも大事ですが、ほかにどんな仕事があるのか、今受けている案件の単価は相場と比較してどうなのか（安すぎないか）など、ライター同士で情報交換をする機会があったほうが、わかることがたくさんあります。

それに、ライター仲間がいればお互いに応援し合えますよね。わたし自身、もともと1人で行動するのが好きなタイプなので「仲間は必要ない」と思っていましたが、ほかのライターさんと交流するようになって、「仲間がいるっていいなぁ」と感じています。

●ライター同士で情報交換する方法

クラウドソーシングをメインに活動しているライターさんだと特に、ほかのライターさんと知り合う機会が少ないと思いますが、ほかのライターさんを見つける方法はいろいろあるんですよ。

◎セミナー・講演で出会う

ライター向けのセミナーや講演会に出かけていくと、そこでほかのライターさんと知り合う可能性は高くなります。終了後に交流会が設けられることも多いので、そこで新たな出会いがあるかもしれません。

また、クラウドソーシングの運営会社が主催する、ユーザー向けのイベントもあります。メルマガを購読していれば情報が届くので、参加してみてはどうでしょうか。

◎Twitterには多くのWebライターさんがいる

わたしがいろんなライターさんに出会ったのはTwitterです。地方在住でも、子どもがいてセミナーなどに出かけるのが難しい人でも、オンライン上なら交流しやすいですよね。SNSの中でもTwitterは気軽に交流できるのでオススメです。「Webライター」で検索したり、使っているクラウドソーシングサービスの名前で検索したりすると仲間を見つけやすいです。

◎クローズドなオンライン交流会

Twitterなどでゆるく交流するのも楽しいのですが、不特定多数の人が目にする場では言いにくいことを話すには、オンライン交流会がオススメです。TwitterのDMをチャットのように使って話したり、Zoomなどを使って交流するのもいいでしょう。Twitter上でオンライン交流の募集をしている人もいるので、

ぜひチェックしてみましょう。いっそ自分で主催してみるのも楽しいですよ。

◎オフ会で直接会うのも楽しい

地方在住だと特に、普段はオンライン上の交流がメインになります。でもたまには、オフ会で直接会うのもいいでしょう。直接会うとよりざっくばらんに話せることが多いです。わたしはなるべく地方に出かけたときにはいろんなライターさんに会うようにしています。

●情報交換でやってはいけないこと

情報交換したり楽しく一緒に遊んだりというのはいいことですが、以下の点には気を付けてください。

◎教えてもらうばかりではダメ

メインは「交流」ですから、情報だけをもらおうとする態度は厳禁。仲良くなれば自然と有益な情報を教えてもらえることもあります。

自分より稼いでいたり実績が豊富なライターさんに対して、教えてもらうことばかりを望まないようにしましょう。自分だけ得しようとする人に対して「教えてあげよう」と思える人はいません。

◎情報を漏らしてはダメ

クローズドな場では、その人のリアルな原稿料だったり、一般には出せないようなノウハウだったり、希少性の高い情報が手に入ることもあります。でも、本人がそれを公開していないのであれば、勝手に漏らしてはいけません。

そういった情報を話してくれるということは信頼されている証拠。その信頼を裏切らないようにしましょう。

◎愚痴を言い合うような関係になってはダメ

ライター同士の交流は勉強になるし楽しくもありますが、ネガティブな付き合いにならないようにしてください。特に、Twitterなどほかの人からも見えるところでクライアントの愚痴を言い合うというのは最悪です。ときには落ち込むこともありますし、クローズドな場で愚痴を言うことがあってもかまわないのですが、そればかりにならないようにしましょう。

●SNSやブログで書いてはいけない話題がある

チャットなどクローズドな場所では多少の愚痴は許されるにしても、SNSやブログなどオープンな場所では、くれぐれも、クライアントや読者に見られて困る内容は書かないようにしましょう。

> 例
> ・クライアントの悪口
> ・仕事への姿勢や進捗に関するネガティブな情報
> ・記事で取り上げた商品の悪口
> ・法的・道徳的に問題のあること

　実際、「こんなこと書いて大丈夫？」と見ていてヒヤヒヤするものも多いです。

　違法行為についてはそもそも書く・書かないの問題ではなく絶対にしてはいけませんが、それ以外でも、万が一クライアントに見られたら自分の評価に影響するようなことや、クライアントに迷惑がかかるようなことは書かないでください。

●バレないから大丈夫と思っていませんか？

　「ライター名とSNSのアカウント名は違うから」「クライアントはSNSやらないって言ってたから」などと、バレることはないと高をくくっていませんか？

　絶対にバレない保証はありません。アカウント名や1つひとつのコメントからはバレなくても、プロフィールの情報やフォローしているアカウントの傾向などさまざまな情報を組み合わせることで「これってもしかしてあの人では？」とバレてしまうことはあるのです。

　クライアント本人がSNSを見ていなくても、クライアントの知

人が偶然発見し、クライアントに報告がいく可能性もあります。

　ほとんどバレる可能性がないとしても、確率はゼロではありません。SNS等に書く内容は、万が一クライアントに見られたとしても問題が無い範囲にとどめておきましょう。

●オフラインでも油断は禁物

　オフ会などオフラインの場でも油断はできません。いつどこで、誰に会うかはわからないものです。オフ会で話す内容も気を付けたほうがいいですし、気兼ねなく話したいなら個室のある飲食店に行くなど、十分に気を付けたほうがいいでしょう。失敗してからでは遅いので、慎重すぎるぐらいでちょうどいいのです。

「雑談できるライター」の方が次につながりやすい

●必要以上の気遣いはマイナスになることもある

友達と話すときと、知らない人に話すときでは、話せる内容も、聞き方も、全然違いますよね。あまり親しい間柄でない相手には「こんなこと聞いて大丈夫かな？」「そもそもこの時間にメールして大丈夫かな？」などといろいろ気を遣ってしまうもの。

それはクライアントとの関係にも言えることです。ビジネスでの付き合いですから当然礼儀はわきまえるべきですが、気を遣いすぎて必要なことも言えない関係では、良い仕事はできません。

もちろん、馴れ合いの関係になるという意味ではなく、きちんと「言いたいことが言える」「聞きづらいことも聞ける」関係を構築するために、「雑談」の力を借りるのがオススメです。

●クライアントとの距離は雑談で縮まる

「雑談力」という言葉があるぐらいですから、雑談には相手との心理的な距離を縮めるパワーがあります。

日々のやり取りの中に雑談を取り入れることで、少しずつクライアントと打ち解けていきます。すると次第に、気軽に質問できる雰囲気もでき上がっていくものです。

報酬のことなど聞きにくい話題でも、打ち解けている相手であれば聞きやすくなりますよね。

●雑談は難しくない！

「自分はコミュニケーション能力が低いから」と、雑談を苦手と思う方は多いようです。しかし、ライターの場合、雑談は意外と難しくありません。なぜならコミュニケーションのほとんどは、メールなどのテキストベースだからです。

直接会って話したり、電話になると緊張しやすいものですが、メールなら緊張しにくいですし、緊張したとしても相手に伝わりにくいです。対面での会話と違ってテンポが大事なわけでもありませんので、じっくり考えながら文面を作れば大丈夫。

雑談の内容は、当たり障りのないものがオススメです。面白いことを言う必要はありません。むしろ、当たり障りがない内容だからこそ「雑」談なのではないでしょうか。雑談は会話をスムーズにするための潤滑剤のようなものなので、頭を使わなくても話せるような内容でいいのです。

▼メールの最初に

○○さま

お疲れ様です。東京は猛暑日だそうですが、大丈夫ですか？

▼メールの最後に

今日は寒くなるそうなので、わたしは家にこもってひたすら
働きたいと思います。
○○さんも、風邪などひかれませんようお気をつけくださいね。

▼完全に打ち解けている状態

これぐらい打ち解けていると、やり取りが形式
ばらないため話が早く、気軽に相談もしやすく
なります

●雑談はクライアントにとってもメリットがある

　雑談によってクライアントとの距離を縮めるのは、自分のため
だけではありません。**クライアントにとっても、こちらに気を遣**

いすぎることなく、言いたいことを言えるようになるというメリットがあるのです。

　クライアントも「こんな仕事もあるけど頼んだら迷惑にならないかな」といった不安を抱えていることがあります。でも打ち解けてくることにより、新しい仕事も依頼しやすくなるでしょう。「このライターさんは気心が知れているからずっと書いてもらいたい」と思ってもらえれば、こちらもうれしいですよね。

　もちろん、次につながるかどうか、ずっと継続してもらえるかどうかは、成果物の質が一番重要です。ただ、言いたいことが言える関係性は、最終的に成果物の質向上にもつながるので、苦手な人も、ぜひ雑談を取り入れてみてください。

5-12 目標は言語化して達成する

●目標は常に見えるところに置いておく

　稼いでいるライターさんと稼げていないライターさんを比較すると、目標の扱い方に大きな違いがある気がします。稼いでいるライターさんほど、目標を明確にし、その目標を見えるところに貼るなどして、つねに意識できるように工夫しているのです。

　目標を達成したいなら、頭の中に置いておくだけでは不十分。考えているだけでは忘れてしまいますし、都合のいいように下方修正したり、なかったことにしたりできますよね。だから、頭の中から取り出して、見えるようにしておくことが重要なんです。

　まずは、今持っている目標を書き出してみましょう。紙でもホワイトボードでも、スマホのメモ帳などでもかまいません。

　紙に書いて壁に貼ったり、壁掛けのホワイトボードに書いたりすると、つねに目標が目に入る状態になるため意識しやすくなります。スマホやPCなどのデジタル機器なら、普段自分がよく見るところに書いてくださいね。ちなみにわたしはブログで1年の目標を宣言したり、iPhoneのメモアプリでやりたいことのチェックリストを作ったりしています。また、友人や家族に宣言することも多いです。

▲メモアプリに書いている目標

　かなり生々しい内容が書いてあるので隠させていただいていますが、「人に見せたくない」くらい具体的だったり、自分にとっては大きすぎたりするような目標も作っておくのがオススメです。

　単に「年収〇万円になりたい！」というだけではなく、「こんな仕事がしたい」とか「このメディアで書きたい」、「有名ブランドのチェアを買う」など、生々しい目標も臆せず書いていきましょう。そのほうが、<u>自分が何を目指しているのか、方向が見えやすくなりますよ。</u>

●目標は宣言するほど達成できる

　さらに、目標は書くだけでなく、周りに宣言するとより達成し

やすくなります。「ダイエット始めました！」「今日から禁煙します！」などと宣言することで周りにも応援してもらえますし、また、「宣言してしまった以上は達成しなければ」と自分にプレッシャーをかけることもできます。

プレッシャーに弱いタイプの人もいますが、外部からかけられるプレッシャーと、自分でかけるプレッシャーはちょっと違います。プレッシャーに弱い人は「外部からの」プレッシャーに弱いケースが意外と多いのです。自分にかけるプレッシャーは大丈夫という人も多いはずなので、勇気をもって試してみてください。

さらに、宣言することで「引き寄せの法則」が働くこともあります。「引き寄せの法則」と言ってもスピリチュアルな話ではありません。自分がやりたいことを宣言していれば、「そういえばあの人がこれをやりたいと言っていたな、せっかくだからお願いしてみよう」と、何かのきっかけで声がかかることもあるのです。

わたしが講師をすることになったきっかけも、周りに「やってみたい」と言っていたからです。目標を堂々と宣言するのは恥ずかしいと躊躇してしまうかもしれませんが、なにもブログなどで大々的に公表する必要はありません。

たとえばクライアントとの打ち合わせで「今後はこんな仕事にも挑戦してみたいんです」といった話をしていれば、クライアントが興味を持ってくれたり、人を紹介してもらえたりすることもあります。

●TO DOも夢も言語化がポイント

言語化してどこかに書き、宣言するのは目標以外にも効果があります。わたし自身は、日々の作業も今後も夢も、すべて同じように言語化しています。

日々の作業も、頭の中で考えているだけより、どこかに書き出して可視化したほうが、やるべきことが一目瞭然になって、頭も整理できます。さらに、わたしはたまにTwitterなどでその日やることを投稿しておくことがありますが、そうすることで「宣言した以上は今日はここまでやらないと」と意識できます。

「目標」よりもっと抽象的だったり大きかったりするような「夢」も同様です。自分が今後どんなことをしたいのか、どんな人間になりたいのか、といったこともどこかに書いておくと、自分が進むべき方向が見えやすくなります。そして、それを誰かに宣言しておくことで応援してもらえたり、「目標」と同様に引き寄せの法則が働くこともあります。

原稿を書く前にマインドマップを使って情報を整理するのにも似ていますが、頭の中だけで考えるよりも、表に出したほうが考えていることが整理できます。さらに、目標や夢、日々の作業などは周りに宣言することでより達成しやすくなるのです。

夢や目標は、長期的・中期的・短期的とさまざまな期間で考えることで具体性が増します。1年単位・半年単位・3か月単位・・・1週間単位、といった具合に区切って考えるのもオススメですよ。

第 **6** 章

お仕事の疑問に
お答えします！

　Webライターを始めたばかりの方から質問されること
が多い項目についてまとめました。
　疑問を解決して、次の一歩を踏み出しましょう。

6-1 マニュアルは どこまで読むべき？

●マニュアルを読むのが好きなライターはいない

新しい仕事を受けたときには「ライターマニュアル」を渡されることが多いです。執筆する上で留意すべき点、納品までのフロー、画像についての指示などが書かれています。

「マニュアル大好き！マニュアル読むのが楽しみ！」なんて思っているライターはほとんどいないでしょう。特に、10ページ以上もあるような長いマニュアルが送られてきたときには、読むのが億劫で仕方ありません（よね？）。

Webライティングの基本的なルールなど、すでに知っていることが書かれていることも多いため、面倒で放置したくなる人も多いのではないでしょうか？マニュアルって、絶対に読むべきなのでしょうか？

●マニュアルは「全部読む」のが正解

答えは、"読むべき"です。どんなに長いマニュアルでも、すべて目を通してください。「このあたりは知っていることばかりだな～」と思うようなところも、すべてです。

マニュアルには、原稿を書く上で必要なことが書かれていま

す。「読んでもよくわからない」と言って放置するのは論外！よくわからないなら、なおさらしっかり読み込むべきですし、わからない点は質問して、疑問を解決しておくべきです。

わたし自身、本音では「知っているところは読み飛ばしてもいい」とは思っていますが、それでもすべてのマニュアルを隅から隅まで読んでいます。 それに、思うように稼げていないライターさんの仕事ぶりを見ていると、多くの方が「まともにマニュアルを読んでいない」のです。だからこそ、ここでは「全部読んでください」と強く言っておきます。

「知っているところだけを的確に読み飛ばすことができる」のであれば拾い読みでもいいのですが、うっかり必要なところまで読み飛ばしてしまう可能性はあります。

大事なところを読み飛ばさないためには、結局は全部読むしかありません。

|ワンポイント

「はじめにざっと読んで、書きながらわからないことが出てきたらその部分をじっくり読む」というやり方でも良い気がするかもしれません。実際、わたしも一時期そうしていました。しかしそれだと、結局「どこに書いてあったっけ？」と必要な情報を探すのに手間取ったり、また、思い込みでマニュアルと違うことをしてしまうミスをしたりとかえって時間がかかってしまうことが多いので、今は、はじめにすべて精読するようにしています。

クラウドソーシングに
手数料を払ってでも使う
メリットは？

●クラウドソーシングを使わないほうがいい？

　クラウドソーシングに頼らずに仕事を回せるようになりたい、クラウドソーシングから卒業したい、という話を聞くことがあります。クラウドソーシングではシステム利用料として、クライアントの支払額から5〜20%程度が引かれた額が報酬となるので、クラウドソーシングを介さずに受注できるようになりたい気持ちはわかります。

　しかし、「いずれは卒業したほうがいい」とは限りません。クラウドソーシングを使うメリットも大きいからです。

　クラウドソーシングを卒業するということは、直接契約の仕事だけをしていくということになりますが、直接契約にはデメリットもあります。

●直接契約のトラブルは自分で解決しなければならない

　クラウドソーシングを通さず直接契約した案件で、たとえば「納品したのに報酬が支払われない」「クライアントと連絡がとれなくなった」のようなトラブルがあった場合、自分の力で解決しなければなりません。

　直接契約で報酬未払いが起こった場合、自分で根気強く連絡す

るか、もしくは督促状を送ってみたり、訴訟を起こしたり、と
いった対応が必要になります。

　この点、クラウドソーシング経由であれば仮入金制度があるの
で取りっぱぐれがありません。万が一クライアントと連絡が取れ
なくなってしまった場合も、たとえばランサーズなら「連絡催促
申請」という仕組みもあります。連絡催促申請を使っても連絡が
とれない場合もありますが、すでにプロジェクトが成立して納品
もしている状態であれば、仮入金されたお金が支払われます。

　クラウドソーシングでは「仮入金が済むまで仕事に着手しな
い」というルールがあり、そのルールを守っていれば報酬の未払
いは起こりえないのです。

　未払い以外でも、クライアントとトラブルになった際にはカス
タマーサポートに連絡することで、運営側が解決してくれる問題
はたくさんあります。

　クラウドソーシングの手数料はたしかにバカになりませんが、
その代わり得られる安心感や保障もあるということです。

●直接取り引きのリスクを理解しておこう

　わたしがランサーズを積極的に使っていたのは半年ほどでし
た。その後は自分から提案することはなく、継続案件のやり取り
のためだけに使うようになりました。

　記名記事をやるようになってからは、ブログ等へ直接問い合わ
せがくるため、徐々に「ランサーズを介さない取り引き」のほう

が増えていき、今ではほぼゼロになっています。

ただし「やっぱり卒業したほうがいいんだ、わたしも卒業したい！」とは思い込まないでください。どれだけ売れっ子になってもクラウドソーシングを使い続ける人もたくさんいます。

それに、クラウドソーシングからの卒業を目標化してしまうと、トラブルに遭うリスクも高くなるからです。

手数料を払いたくないとか、クラウドソーシングを卒業したいといった動機があると、安易に直接取り引きをしがちです。そうなると、クライアントを見る目が曇り、報酬が支払われなかったり、音信不通になったりといった、良くないクライアントに遭遇する可能性が高くなります。

わたしは本当に信頼できる人としか直接取り引きはしません。信頼できる相手であれば、クラウドソーシングに手数料を支払って保障を確保する必要性は感じませんが、信頼できる相手かどうかわからない場合はクラウドソーシングを使います。

クラウドソーシングにはクラウドソーシングのメリットがあるので、無理に卒業する必要はないと思いますよ。

|ワンポイント

わたしは結果的にクラウドソーシングをほとんど卒業したような状態になっていますが、あくまでも「今の段階では使っていない」というだけです。今後新たな機能やサービスが登場する中でメリットを感じれば、また使うようになると思います。

6-3 クラウドソーシング以外で 仕事をとる方法は？

●ライターの需要はあちこちにある

ライター業を始めたきっかけがクラウドソーシングだと、クラウドソーシング以外の経路で仕事を受けるイメージがわかない人も多いようです。

考えても「ブログに問い合わせが来る」「ライターを募集しているメディアに応募する」ぐらいしか思い浮かばないかもしれません。しかし、ライターの仕事はいろんなところにあるのです。

Webライティングの仕事だけでなく紙媒体の仕事も含め、クラウドソーシング以外で仕事を受ける方法について紹介します。

●クラウドソーシング以外で仕事を受ける経路

クラウドソーシング以外で仕事を受ける経路をいくつか挙げてみましょう。まずは冒頭でも挙げた、基本的なパターン。

◉ブログ・SNS経由での依頼

ブログやSNSを使っているライターさんであれば、仕事依頼の問い合わせが来ることもあります。ただし「依頼したくなるようなライター」だと思ってもらわなければ仕事依頼は来ません。(6-7

「自分のブログ、SNSに実績を掲載したほうがいい？」参照）

◉ ライター募集をしているメディアへの応募

　ライターを募集しているメディアはたくさんあります。「ライター募集」で検索すると出てくるので、その中から興味のあるところに応募してみるといいでしょう。

◉ 気になるメディアに問い合わせてみる

　ライター募集のページがなくても、問い合わせてみればライターとして採用してもらえることはあります。クラウドソーシングの提案文を書くときのように、自分のアピールを書いたメッセージを送るといいでしょう。

◉ 求人情報サイトで探す

　フリーランスという形にこだわらなければ、ライターとして雇ってもらう方法もあります。求人情報でもライターを募集していることはあります。「ライター募集」と検索すると正社員やアルバイトでの募集をしているところが見つかる場合もありますよ。

◉ ウォンテッドリーを使う

　「WANTEDLY（ウォンテッドリー）」は求人サイトの1つですが「ビジネスSNS」を謳っており、プロフィールを登録しておく

ことにより企業からのスカウトを受けることもできます。ライターの募集は多く、このサービスを使っているライターさんも多い印象です。雇用される形だけではなく、業務委託契約の仕事もあるため、フリーランスの人でも利用できます。

https://www.wantedly.com/projects

◉ **リアルのつながりから仕事をもらう**

友達や知人もしくは「友達の友達」など、リアルのつながりから仕事を受けることももちろんできますよね。Facebookだとリアルのつながりが多いので、Facebookで自分の仕事について発信していると声がかかりやすいはずです。

●大事なのは「自分から情報を発信すること」

ライターの仕事は、実はクラウドソーシング以外のところにもたくさんあります。でも、待っているだけでは仕事は増えません。

自分が何をしているのか、それを発信すればいいのです。何も

しなければ仕事は来ませんが、ブログやSNSで自分の仕事について発信したり、友人同士の集まりなどリアルな場で自分の仕事について話したりすることで、「ライターをやっている人なんだ」と知ってもらえます。

　クラウドソーシングを使わない場合は「自分からガンガン売り込まなくてはならない」と思い込んでいる人もいるのですが、そこまでする必要はありません。

　「自分から売り込むのは苦手……」と思っている人も、受注の窓口を広げたいのであれば、まずはあなたがライターであることを発信してみてはいかがでしょうか。

ライターとして軌道に乗ると、「紹介」で仕事をもらうことが多くなっていくと思います。クライアントが別のクライアントを紹介してくれる、ライター仲間が仕事を振ってくれるなどのパターンが多いです。

「得意分野」はどうやって作る？

●稼げるライターは「得意分野」を持っている

得意分野が「無い」とか、「弱い」と悩んでいませんか？

たしかに得意分野があったほうが稼げます。「なんでも書けます」と言うライターよりも、特定のジャンルに強いライターのほうが印象に残りやすいですし、ライターを探す際にも「○○（ジャンル）ライター」といった具合に検索するので見つけてもらいやすくなります。

ですので、「これが得意です！」「これに特化しています！」と言えるジャンルが無い人は、自分の得意分野を作りましょう。

「得意分野を作る」と言っても、ゼロから作るのではありません。すでに、あなたの中に得意分野の種があるはずです。それを育てて、胸を張って言える「得意分野」にするのです。

●「自分なんてまだまだ」と思っていることこそが得意分野になる

「得意分野の種」とは、あなたが「好きなこと」や、「周りの人よりも詳しいこと」です。

「いやいや、わたしなんて全然。もっとすごい人がたくさんいる

から……」なんて思っているとしたら、それは間違いです。つい「上には上がいる」と考えがちですが、その考えで言えば、そのジャンルのナンバーワンの人しか「得意分野」と名乗れないことになります。そんなわけないですよね？

たとえば子育て経験のある人は、子育て経験の無い人に比べると多くの知識を持っています。育児系のメディアであれば、子育て経験がある人のほうが有利であることは間違いありません。

「ダイエットをしたことがある」「転職したことがある」「音楽を聴くのが好き」、これは全部「得意分野の種」です。

●得意分野の種を育てる方法

得意分野の種があっても、それだけでは得意分野とは言えずあくまでも「種」です。「得意分野は一応あるけど弱い」と悩んでいる人は、種を育てられていない可能性が高いです。人より詳しいかな、と思える分野を、ライターとしての目線で強化していくことで「得意分野」になります。

得意分野を育てるには、「まずそのジャンルの仕事を受けること」が必要です。まだ「得意分野」と言えるほど得意でなくても、以下のような仕事であれば受けやすいです。

・体験談

「わたしのダイエット体験談」のように個人的な体験をまとめる内容であれば、専門性が低くても問題ないので受けやすいです。

・入門者向けの記事

専門性が低くても、入門者・初級者向けに基礎知識をまとめるような内容であれば書きやすいはずです。

　はじめはこうした「そんなに詳しくなくても書ける内容」から挑戦しましょう。得意分野の記事を書きつつ、知識を吸収し、経験を積み、実績を重ねていけば、種から芽が出て、いずれは「○○についての専門記事が書けるライター」を名乗れるようになります。

●わたしが「マネーライター」になるまで

　ここで、わたし自身の経験を例に挙げてみます。

　Webライターの仕事を始めた当初、わたしは節約・家計管理の体験談をよく書いていました。この時点では「節約をがんばっている主婦」でしかありませんでしたが、それでも体験談は書けます。

　その中で「これってどうだったかな」と調べることもありますし、調べるうちに知識がついてきます。知識が増えればそれだけ対応できる仕事の幅も広がりますよね。

　また、節約関係の仕事を受けていくと、どこに需要があるのかも見えるようになってきます。節約の中でも特に読者からの需要が多いのは、「ポイントカード」や「商品券・ギフトカード」などです。「ひと手間かければこんなにお得になる！」という裏技的な話はウケがいいんですね。有名どころの共通ポイント（Tポイントなど）を改めて勉強することで、「より需要のある節約系記事

を書けるライター」になりました。

　そうして実績が溜まり、それをプロフィール等に掲載していると、わたしは自然と「マネーライター」として認識されるようになり、勝手にマネー系の仕事依頼が来るようになりました。ただの「節約をがんばっている主婦」だったわたしが、テレビにも出演できるぐらいの「マネーライター」になったのです。

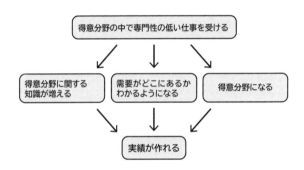

●得意分野の種を見つけて育てれば得意分野は作れる

　得意分野の種は誰でも持っています。

　「得意分野がない」と悩んでいるなら種を探しましょう。「一応得意分野はあるけど弱い」と感じているなら、得意分野の種を育てるつもりでその分野の仕事を探してみましょう。

6-5 ライターもブログをやったほうがいい？

●仕事を増やしたいならブログはあったほうがいい

あなたが今あまり仕事が取れていないor仕事はあるけど単価が低いといった悩みを抱えているなら、ブログはやったほうがいいでしょう。

なぜなら、ブログを持っているだけでも「窓口」になるからです。窓口は多いに越したことはありません。

クラウドソーシングを使っていれば、クラウドソーシング内のプロフィールページが「窓口」として機能していますが、その窓口ではとれないような仕事が、ブログ経由で舞い込むことがあるからです。

・クラウドソーシングを知らない人
・クラウドソーシングは知っているけど使うのを躊躇している人
・クラウドソーシングを使いたくない人

こういった人は、クラウドソーシングを使いませんよね。ちなみに3つ目の「クラウドソーシングを使いたくない人」は、クラウドソーシングにネガティブなイメージを持っていたり、「手数料

を払いたくない」と考えていたりする人です。

●ほかにもある「ブログをやるメリット」

ブログをやるメリットは、クラウドソーシングを利用しない人からも依頼が来るという点だけではありません。

◉ サンプル原稿になる

どんな文章を書く人なのか、文章は上手なのかどうか、といったことがわかります。SEOに理解があるかどうかも、ブログの文章を見ればわかります。

◉ 文章以外のレベル感もわかる

自分で撮影した画像を使っていれば「撮影技術のレベル」が伝わりますし、自分でブログテーマをカスタマイズしていれば「CSSとHTMLの知識がある」といったことも伝わります。

◉ 人となりがわかる

日々の生活のことや自分の考えなどを書いていれば、どんな性格なのか、といったことが見えてきます。

こうしたメリットがあるため「ブログをやったほうがいいかどうか？」という質問には「やったほうがいい」と答えています。

とは言え、ただブログを更新しているだけで仕事依頼が舞い込

むわけではありません。上記の「メリット」を意識した上で、得意分野に関する記事をいくつか作っておく（できれば上位表示されるようなものにしておく）、撮影ができるならきれいな画像を使う、といった工夫をしてください。

まだスキルが低く「文章を見られると逆に依頼がこなくなりそう」といった不安もあるかもしれません。たとえスキルはまだ低くても、得意ジャンルや人となりは伝えられますし、書く練習にもなりますので、ぜひチャレンジしてみてほしいです。

ワンポイント

窓口として機能させるためには「お問い合わせフォーム」は必ず設置し、普段使っているメールアドレスに届くように設定しておきましょう。普段あまり見ないメールアドレスを設定してしまうと、「問い合わせに気づかない」といった悲劇が起こります。

6-6 SNSをやるとしたら どれがいい？

●そもそもSNSはやったほうがいいの？

今より仕事を増やしたい、収入を増やしたいと思うのであれば、SNSはやっておいたほうがいいです。ブログと同様に「人となり」を知ってもらったり、実績のアピールの場、依頼をもらうための窓口としても活用できるからです。

いろんなSNSがありますが、とりあえず始めるなら、以下の有名SNSからどれか選ぶといいでしょう。

◉ Facebook

実名制のためリアルのつながりが多いのが特徴。年齢層は高め。書いた記事をシェアするなど、仕事の情報を流していると知り合いから依頼が来ることもあります。

また、「Facebookページ」というサービスを使うのもオススメです。個人アカウントとは別に開設でき、仕事用に特化した情報を流すことができます。（広告も出せます）

▲ Facebookページの投稿は、検索エンジンの検索対象になる（個人アカウントはならない）

◉ Twitter

1回あたり最大140文字まで投稿でき、交流が楽しめるSNS。書いた記事をシェアするほか、ライター同士で交流するのにも向いています。また、フォロワーが多いほど書いた記事をシェアしたときのPV数も伸びやすいため、クライアントから拡散目的の依頼が来ることも増えます。

◉ Instagram

画像投稿がメインのSNS。撮影が得意なライターさんに向いています。特にファッション・美容・料理といった分野ではフォロワーが多いほど依頼も来やすいです。

●仕事につなげたいならFacebook

　仕事を獲得する目的でSNSをやるのであれば、Facebook＋Facebookページがオススメです。リアルなつながりの中から仕事依頼が来やすいですし、また、実名制のため新規の問い合わせも来やすいように思います。

　Twitter経由で仕事依頼が来る人も多いのですが、それは「かなりフォロワーが多い」とか「ブログに魅力がある」といった付加価値があるから。こうした付加価値が無いライターにとっては大して「うまみ」がありません。とは言えフォロワーが多くなってきたり、ブログの更新情報などを流していれば、いずれは仕事につながることはあるため、余力があればやってみてもいいでしょう。

　Instagtamに関しては、自分自身の得意分野がInstagramのユーザー層とマッチするかどうかで決めるといいでしょう。

　Instagramは比較的若い女性が多いSNSなので、若い女性のフォロワーが多ければ「インフルエンサー」としての働きを期待され、仕事依頼がくることがあります。少しでもチャンスを増やすためには、やらないよりはやったほうがマシではありますが、優先度は高くありません。

　ただ、SNSにも流行があり、今後も新たなSNSが出てくるでしょう。なるべく、SNSのトレンドも追っておき、新しいSNSが

出てきたら登録だけはしておきましょう。無理にあれもこれも使わなくてかまいませんが、仕事に役立ちそうだと判断したらこまめに更新するなどして対応していくのが理想的です。

|ワンポイント

　SNSは仕事とプライベートの投稿が混在してしまうこともありますが、5-10「ライター同士で情報交換するメリットと注意点」にもある通り愚痴や悪口は控えてください。また、仕事を増やしたいなら書いた記事をSNSでシェアする、得意分野に関する情報を発信する、といった工夫もしてみましょう。

6-7 自分のブログ、SNSに実績を掲載したほうがいい？

●ブログ・SNSをやっている「目的」を考えよう

「ブログやSNSにはこれまでの実績を書いたほうがいいよね？」と考える人は多いのですが、先に確認しておくべきことがあります。それは、「そもそも何の目的でブログ・SNSをやっているのか？」ということです。

わたしはブログを持っていますが、ブログにはライターとしての実績はあまり掲載していません。掲載しているのはイベント登壇や取材を受けて雑誌に掲載されたものといったものばかり。

なぜなら、ライターとしての仕事よりも講師としての仕事を増やしたかったからです。

また人によっては、息抜きや「何の縛りもなく自由に書ける場がほしい」といった理由でブログやSNSを使っている人もいます。

一方で、「そもそも目的なんて考えていなかった」という人もいると思いますでの、もう少し掘り下げて考えてみましょう。

●集客が目的なのかどうかを改めて考えよう

ライターとしての仕事を増やしたいなら、実績はしっかり掲載するべきです。プロフィールページに掲載メディアを載せたり、

執筆した記事の一覧が見られるリンク集を作っておきましょう。

ただ、「自由気ままに書きたいけど仕事依頼もほしい！」というのはオススメしません。自由に書ける場所としてブログやSNSを運営しているのであれば、「これで仕事依頼が来ればラッキー」ぐらいに考えておかなくてはなりません。

ブログやSNSで「ライターとしての悩み」「クライアントの愚痴」などを書いている人も多いのですが、それをクライアントが見てどう思うのか？という視点を持ちましょう。悩みや愚痴を書くな、という意味ではありません。「集客という目的を邪魔しないか？」と考えてください。

例

NG
「先月から取り引きしているクライアントがレスポンス遅くてムカつく！」

➡「先月から」など、当事者が「自分のことかも」と感じるような具体的な内容で悪口を書くのはダメ
➡「ムカつく！」のような感情むきだしの表現は控える

OK
「クライアントの中にはレスポンスが遅い人もいるけれど、レスポンスが遅いとこちらの進捗も遅れてしまうわけだから、なるべくレスポンスは早い人と仕事するほうが気持ちいいと思う」

➡特定の事象ではなく「一般論」として書くと悪口にはならない
➡感情は抑えて具体的な解決策（この場合は「レスポンスが早い人と仕事する」）を示すことで読者にとっても有益な情報になる

集客のためにブログ・SNSを使っているのであれば、内容もライターとしての発言であることを自覚しましょう。せっかく実績を掲載していても、愚痴や悪口が垂れ流されていては依頼したいと思ってもらえません。

●ストレス発散や息抜きが目的なら匿名にしよう

「ブログやSNSまで読者やクライアントに配慮して書くのは疲れる！」「もっと自由に書ける場所がほしい！」という方は、匿名で発信することをオススメします。

ライターとしての自分と、素の自分をしっかり切り分けるということですね。「愚痴も悪口も自由に書きつつ集客もしたい」というのは不可能ですから……。

ただし、その際には「厳密に、完全に切り分ける」ことを徹底してください。たとえばTwitterならライター用アカウントと、いわゆる「裏アカウント」を使い分けるといったこともできますが、くれぐれも「誤爆」しないようにしましょう。

わたし自身は「ネガティブなことを言うための裏アカウント」には否定的です。万が一「誤爆」してしまったら取り返しがつかないこともあります。そのリスクも受け入れた上で行ってください。

仕事につなげたいと思うなら、ブログやSNSには実績を掲載しておくのがオススメではありますが、その際は「依頼したいと思ってもらえる内容になっているか」を考えて使ってくださいね。

SNS経由で依頼が来ることはよくあります。SNSはその人の趣味や性格など個性が出やすいので、クライアントからしてもイメージに近いライターを探しやすいのかもしれません。

あとがき

●この本ができるまで

　わたしがWebライターを始めた当時、まだWebライターという仕事自体がマイナーで、ネットで調べてみてもほとんど情報がありませんでした。報酬の相場もわからない、仕事の進め方はこれでいいのか、ステップアップするには何をすればいいのか……？　わからないなりに、必死で駆け抜けてきました。

　そうして手探り状態で続けていく中で、仕事のやり方をレクチャーしてほしいという依頼が来るようになりました。1人で試行錯誤しながら身につけてきたノウハウを、人に教えるためにわかりやすく整理してまとめていったものが、本書にもぎゅっと詰まっています

　イベントに登壇してみたり、講師としてWebライターの働き方について教えたりもするようになる中で、何百人もの人たちを見てきましたが、つまずく場所はだいたい同じです。たくさんの人たちのつまずきを見てその相談に乗る中で見つけた失敗のパターンやその解決法といった知見も、本書に詰め込まれています。ぜひお役立てください。

●Webライターっておもしろい！

　Webライターを始めたばかりのときは、自分の書いた文章がお金に替わるのがうれしくてたまりませんでした。でも、本当の面

白さはその先にあります。

　仕事のために調べ物をしていくといつのまにか自分の知識が増えていきます。知識が増えると仕事の幅が広がるだけでなく、私生活に役立ったり、素晴らしい趣味に出会えたりもします。仕事を通じて素晴らしい師匠に出会ったり、かけがえのない友人に出会ったりもするでしょう。

　Webで文章を書くという経験は、この情報社会での発信力の礎になります。ライターの仕事を辞めたとしても、身につけた文章力や発信力は財産です。クラウドソーシングの使い方を習得していることも財産です。副業自体は辞めても、副収入を得るための選択肢や方法を知っていれば、今後また副業をしたくなったときにスムーズに再開できるからです。

　こうした面白さも感じつつ、Webライターの仕事に挑戦していただけたら、きっと楽しく続けられると思います。

　本書は、Webライターとして収入を得ていくための「コンパス」のようなものです。この本を片手にWebライターの仕事を始め、迷ったときにはこの本を開いて進む方向を確認していただけたら、こんなにうれしいことはありません。

　最後に、改訂版の提案をしてくださり、相変わらずの返信の早さでわたしに適度なプレッシャーをかけてくださった大久村さん、そして監修いただきました染谷さん、本当にありがとうございました。

2021年4月

利倉　夏実

監修者あとがき

　世の中には数多くのライターがいます。雑誌の原稿を手がける人もいれば、ジャーナリストとして取材に力を入れ、リアリティを追い求める人もいます。インタビューを得意とする人もいれば、本書で取り上げているWebライターも多く存在します。

　そして専業でライティングの仕事をしている人もいれば、本業の傍ら、副業としてライティングに取り組み、副収入を得ている人もいます。

　誰にも公平に1日24時間が与えられています。その限られた時間の中で、いかに効率的に副業に取り組むかによって収益の額は大きく変わります。

　綺麗な日本語を使った文章を書く能力、メッセージ性が強い文章を書く能力、正確な内容を丁寧に記す能力など、言葉を紡ぎ出す力は確かに大切です。インパクトのある記事を作れる企画力も大切です。でも、文章を収益に繋げるために必要な力はちょっと違います。

その必要な力とは、一番目の読者であるクライアントを満足させられる総合力です。美しい文章を書けるという能力はたしかに重要ですが、多少、日本語が乱れていても、クライアントとの信頼関係を築ける人が副業Webライターとして成果を残せるのです。文章が書けるというのは立派な能力であり、特技です。その能力を正当な報酬に変えましょう。お金を得るということは、人生の選択肢を広げることにも繋がります。

　本書は、利倉夏実さんという実績あるWebライターに、文章を収益に変える秘訣を隠すこと無く書いてもらいました。すべての内容を取り入れてもらっても良いですし、自分のスタイルに合っている項目だけを参考にしてもらっても構いません。

　この本がみなさんの人生の選択肢を広げるきっかけになれたのであれば、これほど嬉しいことはありません。

2021年4月
染谷　昌利

本書について
本書は「頑張ってるのに稼げない現役Webライターが毎月20万円以上稼げるようになるための強化書」（2017年8月発売）の改訂版です。

■カバーデザイン　斉藤よしのぶ
■イラスト　すぎやま　かずみ

はじめての副業
Webライターで頑張らなくても
安定収入を手にするための教科書

発行日	2021年　5月　5日		第1版第1刷

著　者　利倉　夏実
監　修　染谷　昌利

発行者　斉藤　和邦
発行所　株式会社　秀和システム
〒135-0016
東京都江東区東陽2-4-2　新宮ビル2F
Tel 03-6264-3105（販売）　Fax 03-6264-3094
印刷所　日経印刷株式会社　　　　　　Printed in Japan

ISBN978-4-7980-6413-0 C0034